The Journey Begins

西遊開始

By Jeff Pepper
and
Xiao Hui Wang

Version 109T

The Journey Begins

西遊開始

A Story in Traditional Chinese and Pinyin,
600 Word Vocabulary Level

Book 6 of the *Journey to the West* Series

Written by Jeff Pepper
Chinese translation by Xiao Hui Wang

Based on the original 14th century story by Wu Chen'en, and the unabridged translation by Anthony C. Yu

Book design by Jeff Pepper
Cover design by Katelyn Pepper
Illustrations by Next Mars Media

ISBN: 978-1-952601-17-0

ACKNOWLEDGMENTS

We are deeply indebted to the late Anthony C. Yu for his incredible four-volume translation, *The Journey to the West* (1983, revised 2012, University of Chicago Press).

Thanks to NextMars Media for their terrific illustrations. And many thanks to Xing Chen and Lynn Xiaoling for their help in reviewing the manuscript.

AUDIOBOOK

A complete Chinese language audio version of this book is available free of charge. To access it, go to YouTube.com and search for the Imagin8 Press channel. There you will find free audiobooks for this and all the other books in this series.

You can also visit our website, www.imagin8press.com, to find a direct link to the YouTube audiobook, as well as information about our other books.

PREFACE

This book is based on chapters 12, 13 and 14 of *Journey to the West* (西遊記, xī yóu jì), an epic novel written in the 16th Century by Wu Chen'en. *Journey to the West* is loosely based on an actual journey by the Buddhist monk Xuanzang, who traveled from the Chinese city of Chang'an westward to India in 629 A.D. and returned 17 years later with priceless knowledge and texts of Buddhism. Over the course of the book the band of travelers face the 81 tribulations that Xuanzang had to endure to attain Buddhahood.

Each book in our *Journey to the West* series covers a short section of the original 2,000-page novel.

This story, the sixth in our series, marks the end of the first section of the novel, as we wrap up the preliminaries and begin the actual journey. In the words of Winston Churchill, "Now this is not the end. It is not even the beginning of the end. but it is, perhaps, the end of the beginning."

As we wrap up the beginning sections of the novel, several threads and key characters from earlier books come together. Taizong, the great emperor of the Tang Dynasty who spent most of Book Five trapped in the Underworld, selects the young monk Xuanzang to undertake the journey after being strongly influenced by the Buddhist teacher Guanyin. Xuanzang (now called Sanzang) sets out on his journey and receives help from Guanyin and from Bright Star of Venus, who previously appeared in Book Two. The Dragon King of the Eastern Ocean, who in Book One was Sun Wukong's adversary and was forced to give him his Jin Gu Bang (golden hoop rod weapon), is now Sun Wukong's old friend and gives him some life-changing advice. And near the end of the book Sanzang's path crosses that of Sun Wukong himself, and the young monk and the old monkey work out their differences (more or less!) and become the first two members of the band of travelers. Later on they will be joined by three more disciples: the lustful pig Zhu Bajie (literally, "the Pig of Eight Prohibitions"), the ugly sand priest Sha Wujing, and White Dragon Horse.

This book has some great moments in it, but the most interesting aspect is the transformation of Sun Wukong, who as a result of spending five centuries imprisoned in a stone box has changed from being a complete troublemaker to being the young monk's disciple and protector. The tension between Sun Wukong's newfound devotion and his old destructive habits is fun to watch.

All of the stories in this series are written in simple language suitable for beginning Chinese learners at the 600-word HSK3 level. Whenever we introduce a word or phrase that isn't part of HSK3 and was not already defined in a previous book, it's defined in a footnote on the page where it first appears. All words are listed in the glossary at the end, where we also note whether a word is part of HSK3 or, if not, the book where it first appears.

In the main body of the book, each page of Chinese characters is matched with a facing page of pinyin. This is unusual for Chinese novels but we feel it's important. By including the pinyin, as well as a full English version and glossary at the end, we hope that every reader, no matter what level of mastery they have of the Chinese language, will be able to understand and enjoy the story we tell here.

You can find a complete audiobook version of this book on YouTube's Imagin8 Press channel, or you can download it directly from our website, www.imagin8press.com. There you can also find information on other books you might enjoy, and you can sign up for our mailing list to be informed about other books as they become available.

We hope you like this book, and we'd love to hear from you! Write us at info@imagin8press.com.

Jeff Pepper and Xiao Hui Wang
Pittsburgh, Pennsylvania, USA
January 2018

The Journey Begins
西遊開始

Xīyóu Kāishǐ

Wǒ qīn'ài de háizi, yòu dào le shuìjiào de shíjiān! Nǐ jīntiān wǎnshàng xiǎng tīng tīng lìng yí gè gùshì ma?

Nǐ hái jìdé zuótiān wǎnshàng wǒ jiǎng de Tàizōng huángdì, tā qù le dìyù, ránhòu yòu huí dào le tā shēnghuó de tǔdì shàng. Dāng tā zài dìyù de shíhòu, yù dào le yì qún è guǐ. Tā tóngyì bāngzhù nàxiē guǐ, ràng tāmen néng jìnrù Zhuǎn Lúncáng, zài yícì chūshēng. Wèi le zuò dào zhè yìdiǎn, tā wèi è guǐmen zuò le yì chǎng Shuǐlù Dàhuì.

Tàizōng qǐng le Cháng'ān chéng lǐ suǒyǒu de héshàng lái dào gōngdiàn, qǐng dàchénmen zài héshàng zhōng xuǎn chū yí gè rén lái jǔxíng Shuǐlù Dàhuì. Dàchénmen tán le yǐhòu lái dào Tàizōng miànqián shuō: "Bìxià, wǒmen xuǎn le yí gè héshàng lái jǔxíng Shuǐlù Dàhuì, nǐ yīnggāi yǐjīng rènshi tā le!

西遊開始

我親愛的孩子，又到了睡覺的時間！你今天晚上想聽另一個故事嗎？

你還記得昨天晚上我講的太宗皇帝，他去了地獄，然後又回到了他生活的土地上。當他在地獄的時候，遇到了一群餓鬼。他同意幫助那些鬼，讓他們能進入轉輪藏，再一次出生。為了做到這一點，他為餓鬼們做了一場水陸大會。

太宗請了長安城裡所有的和尚來到宮殿，請大臣們在和尚中選出一個人來舉行水陸大會。大臣們談了以後來到太宗面前說：“陛下，我們選了一個和尚來舉行水陸大會，你應該已經認識他了！

Zài qián yícì de shēngmìng zhōng, tā shì fózǔ de xuéshēng

Tā méiyǒu tīng fózǔ dehuà, suǒyǐ tā zhǐ néng yǒu hěnduō tòngkǔ

Tā de bàba, yí gè zhuàngyuán, bèi yí gè qiángdào shā sǐ

Tā de māma shì chéngxiàng de měilì nǚ'ér

Zài zhège niánqīng héshàng chūshēng de shíhòu, tā yù dào le hěn dà de wēixiǎn

Tā de māma bǎ tā fàng jìn hé lǐ, tā piāo zài shuǐmiàn shàng

Zuìhòu tā dào le Jīn Shān Sì

Tā zài nàlǐ zhù le shíbā nián

Ránhòu tā zhīdào le tā chūshēng shíhòu de gùshì

Tā qǐng tā de wàigōng wèi tā de bàba bàochóu

Wàigōng de jūnduì shā sǐ le nàgè qiángdào

Bìxià gěile zhège niánqīng de héshàng yí gè gōngzuò

Dànshì héshàng xuǎn le xuéxí

在前一次的生命中，他是佛祖的學生

他沒有聽佛祖的話，所以他祇能有很多痛苦

他的爸爸，一個狀元，被一個強盜殺死

他的媽媽是丞相的美麗女兒

在這個年輕和尚出生的時候，他遇到了很大的危險

他的媽媽把他放進河裡，他漂在水面上

最後他到了金山寺

他在那裡住了十八年

然後他知道了他出生時候的故事

他請他的外公[1]為他的爸爸報仇

外公的軍隊殺死了那個強盜

陛下給了這個年輕的和尚一個工作

但是和尚選了學習

[1] 外公 wàigōng – maternal grandfather

Zài nà cì shēngmìng zhōng, tā de míngzì jiào Jīnchán

Tā niánqīng de shíhòu bèi jiàozuò Hé Liú

Nǐ zhīdào tā xiànzài de míngzì jiào Xuánzàng."

Tàizōng huángdì xiǎngqǐ le Xuánzàng, yào tā qù jǔxíng Shuǐlù Dàhuì. Dàhuì jǔxíng le 49 tiān, yǒu 1200 míng héshàng cānjiā le dàhuì.

Zài jǔxíng Shuǐlù Dàhuì de shíhòu, fózǔ Guānyīn zhèngzài Cháng'ān de yízuò xiǎo miào lǐ. Tā zhèngzài zhǎo rén qù xīfāng bǎ fófǎ dài huí Zhōngguó. Dāng tā tīng shuō Tàizōng huángdì xuǎn le Xuánzàng qù zuò Shuǐlù Dàhuì, tā juédìng xuǎn zhè wèi niánqīng héshàng qù xīfāng.

Suǒyǐ Guānyīn biàn chéng le yí gè hěn chǒu de lǎo héshàng, tā zǒu dào jiēdào shàng, hǎn dào: "Wǒ yào mài xiùhuā sēng yī hé

在那次生命中，他的名字叫金蟬

他年輕的時候被叫做河流

你知道他現在的名字叫玄奘。

太宗皇帝想起了玄奘，要他去舉行水陸大會。大會舉行了 49 天，有 1200 名和尚參加了大會。

在舉行水陸大會的時候，佛祖觀音正在長安的一座小廟裡。她正在找人去西方把佛法帶回中國。當她聽說太宗皇帝選了玄奘去做水陸大會，她決定選這位年輕和尚去西方。

所以觀音變成了一個很醜的老和尚，她走到街道上，喊道："我要賣繡花僧[2]衣和

---

[2] 僧 sēng – monk

guǎizhàng. Zhǐyào qī qiān jīn!" Jiù zài zhège shíhòu, chéngxiàng qízhe mǎ dào le nàlǐ, tā xǐhuān sēngyī hé guǎizhàng, tā rèn chū le Guānyīn shì fózǔ. Suǒyǐ tā dàizhe Guānyīn qù jiàn Tàizōng huángdì.

Tàizōng kànzhe sēngyī hé guǎizhàng wèn Guānyīn: "Zhè liǎng jiàn dōngxi zhème guì, nǐ wèishénme yào mài zhème duō qián?"

Guānyīn huídá shuō: "Zài zhège shìjiè shàng zhǎo bú dào lìng yí jiàn zhèyàng de sēngyī le. Tā shì xiānnǚ hé xiǎo xiānnǚmen yòng bīng cánsī zuò chéng de, tā dàizhe tiānshàng de guāng, zhào liàng le rénjiān. Dàn búshì měi gèrén dōu kěyǐ chuān zhè jiàn sēngyī. Rúguǒ nín shì yí gè hǎorén, nín kěyǐ chuān, méiyǒu rén huì shānghài nín, nín bú huì zài dìyù lǐ yǒu tòngkǔ. Dànshì, rúguǒ nín búshì yí gè hǎorén, nín dōu búyòng xiǎng tā, nín yídìng kàn bú

拐杖[3]。衹要七千金！”就在這個時候，丞相騎著馬到了那裡，他喜歡僧衣和拐杖，他認出[4]了觀音是佛祖。所以他帶著觀音去見太宗皇帝。

太宗看著僧衣和拐杖問觀音："這兩件東西這麼貴，妳為什麼要賣這麼多錢？"

觀音迴答說："在這個世界上找不到另一件這樣的僧衣了。它是仙女和小仙女們用冰蠶絲[5]做成的，它帶著天上的光，照[6]亮了人間。但不是每個人都可以穿這件僧衣。如果您是一個好人，您可以穿，沒有人會傷害您，您不會在地獄裡有痛苦。但是，如果您不是一個好人，您都不用想它，您一定看不

---

3 拐杖 guǎizhàng – staff or crutch
4 認出 rèn chū – recognize
5 蠶絲 cánsī – silk
6 照 zhào – according to

dào zhè jiàn sēngyī!"

"Nàme guǎizhàng ne?" Tàizōng wèn.

"A, zhè gēn guǎizhàng! Tā yǒu jiǔ gè tóng hé tiě zuò de gū. Tā yuèguò tiānmén, dǎ huàiguò dìyù de mén. Tā de shàngmiàn bú huì dài yǒu dìshàng de tǔ. Rúguǒ nín názhe tā, nín bú huì biàn lǎo. Tā huì bǎ nín zhè wèi shèng sēng dài shàng shāndǐng!"

"Tài hǎole!" Tàizōng kū le. "Wǒ yāomǎi zhè liǎng jiàn dōngxiī, bǎ tāmen sòng gěi Xuánzàng."

"Rúguǒ zhège xiǎo héshàng shì yí gè hǎorén, nàme wǒ jiù bú huì ná nǐ de qián. Qǐng bǎ sēngyī hé guǎizhàng sòng gěi tā ba." Jiù zài Tàizōng hái xiǎng hé tā shuōhuà de shíhòu, Guānyīn yǐjīng bǎ sēngyī hé guǎizhàng gěi le Tàizōng, líkāi le gōngdiàn, huí dào

到這件僧衣！”

“那麼拐杖呢？”太宗問。

“啊，這根拐杖！它有九個銅和鐵做的箍。它越過天門，打壞過地獄的門。它的上面不會帶有地上的土[7]。如果您拿著它，您不會變老。它會把您這位聖僧帶上山頂！”

“太好了！”太宗哭了。“我要買這兩件東西，把它們送給玄奘。”

“如果這個小和尚是一個好人，那麼我就不會拿你的錢。請把僧衣和拐杖送給他吧。”就在太宗還想和她說話的時候，觀音已經把僧衣和拐杖給了太宗，離開了宮殿，回到

[7] 土 tǔ – dirt

Cháng'ān chéng de miào lǐ.

Tàizōng jiào Xuánzàng lái gōng lǐ, gěi le tā sēngyī hé guǎizhàng. "Nǐ zhǔnbèi hǎo qù xīfāng le ma?" Tàizōng wèn. Xuánzàng jūgōng huídá shuō: "Suīrán zhège wúyòng de héshàng bù cōngmíng, dànshì tā yuànyì zuò niú zuò mǎ. Wǒ huì bǎ fú de zhìhuì dài huílái, ràng wǒmen de dìguó biàn qiángdà, érqiě yìzhí qiángdà xiàqù!"

Tàizōng ràng Xuánzàng zhàn zhí le, duì tā shuō: "Rúguǒ nǐ zhǔnbèi hǎo le xīyóu, bú hàipà, wǒ jiù huì shì nǐ de xiōngdì." Ránhòu, Tàizōng xiàng Xuánzàng jūgōng sì cì, jiào Xuánzàng wéi "dìdi", "shèngsēng".

Xuánzàng shuō, "Bìxià, wǒ zhège wúyòng de héshàng bù kěyǐ dédào nín gěi de zhème dà de róngyù! Dànshì, wǒ huì qù xī

長安城的廟裡。

太宗叫玄奘來宮裡，給了他僧衣和拐杖。“你準備好去西方了嗎？”太宗問。玄奘鞠躬迴答說：“雖然這個無用的和尚不聰明，但是他願意做牛[8]做馬。我會把佛的智慧帶回來，讓我們的帝國變強大，而且一直強大下去！”

太宗讓玄奘站直了，對他說：“如果你準備好了西遊、不害怕，我就會是你的兄弟。”然後，太宗向玄奘鞠躬四次，叫玄奘為“弟弟”、“聖僧”。

玄奘說，“陛下，我這個無用的和尚不可以得到您給的這麼大的榮譽！但是，我會去西

[8] 牛 niú – cow

fāng, dài huí fú de zhìhuì. Rúguǒ wǒ bùnéng wánchéng zhè cì xīyóu, wǒ sǐ le yě bú huì huílái de, wǒ huì diào jìn dìyù lǐ, yìzhí zài nàlǐ."

Xuánzàng huí dào miào lǐ yǐhòu duì héshàngmen shuō, "Wǒ de xiōngdìmen, děng wǒ. Kànzhe miào fùjìn de shù. Rúguǒ tā de shù zhī xiàngzhe dōngfāng, nǐmen jiù zhīdào wǒ hěn kuài jiù huì huílái. Rúguǒ qī nián yǐhòu shùzhī bú xiàngzhe dōngfāng, nàme nǐmen jiù zhīdào wǒ bú huì huílái le."

Dì èr tiān zǎoshàng, huángdì de dàchénmen xiě le yí fèn wénshū, tóngyì Xuánzàng qù Tángguó de měi yí gè dìfāng. Tàizōng bǎ zhè fèn wénshū gěi le Xuánzàng, hái gěile tā yì pǐ piàoliang de mǎ, yí gè jīnsè de yào fàn de wǎn, hái yǒu liǎng gè púrén

方，帶回佛的智慧。如果我不能完成這次西遊，我死了也不會回來的，我會掉進地獄裡，一直在那裡。”

玄奘回到廟裡以後對和尚們說，“我的兄弟們，等我。看著廟附近的樹。如果它的樹枝[9]向著東方，你們就知道我很快就會回來。如果七年以後樹枝不向著東方，那麼你們就知道我不會回來了。”

第二天早上，皇帝的大臣們寫了一份文書[10]，同意玄奘去唐[11]國的每一個地方。太宗把這份文書給了玄奘，還給了他一匹漂亮的馬、一個金色的要飯的碗、還有兩個僕人

---

[9] 枝　zhī – branch
[10] 文書　wénshū – written document
[11] 唐　Táng – Tang Empire

zài tā qù xīfāng de lùshàng bāngzhù tā.

Tāmen yìqǐ zǒu dào chéng ménkǒu. Tàizōng ná qǐ liǎng bēi jiǔ, yìbēi gěi Xuánzàng, wèn: "Nǐ xiǎoshíhòu jiào Hé Liú, nǐ xiànzài de míngzì shì Xuánzàng. Dànshì nǐ yǒu xiǎo míng ma?"

Xuánzàng huídá shuō: "Zhège wúyòng de héshàng yǐjīng líkāi le tā zìjǐ de jiā. Tā méiyǒu xiǎo míng."

"Guānyīn zǔshī zuótiān shuō, sān gè fángjiān lǐ yǒu nǐ xiǎng yào zhǎo de shū. Qǐng yòng tā zuò nǐ de xiǎo míng, jiào nǐ zìjǐ Sānzàng ba. Xiànzài gēn wǒ yìqǐ hējiǔ!"

"Duìbùqǐ, bìxià," xiànzài jiào Sānzàng de Xuánzàng shuō. "Dànshì héshàng shì bùnéng hējiǔ de. Cóng chūshēng dào xiànzài wǒ

在他去西方的路上幫助他。

他們一起走到城門口。太宗拿起兩杯酒，一杯給玄奘，問："你小時候叫河流，你現在的名字是玄奘。但是你有小名[12]嗎？"

玄奘迴答說："這個無用的和尚已經離開了他自己的家。他沒有小名。"

"觀音祖師昨天說，三個房間裡有你想要找的書。請用它做你的小名，叫你自己三藏吧。現在跟我一起喝酒！"

"對不起，陛下，"現在叫三藏的玄奘說。"但是和尚是不能喝酒的。從出生到現在我

---

[12] 小名　　xiǎo míng – nickname

dōu méi hēguò jiǔ!"

Tàizōng huídá shuō, "Wǒ de xiōngdì, jīntiān búshì qítā de shíhòu, zhè cì xīyóu hěn tèbié. Qǐng hēle zhè yìbēi dài yǒu wǒmen měihǎo xīnyuàn de jiǔ." Sānzàng zhǐ néng tóngyì, tā ná qǐ jiǔbēi, dànshì zài tā yào hējiǔ de shíhòu, huángdì zhuā qǐ yì bǎ tǔ, fàng yì diǎndiǎn zài jiǔ lǐ, Sānzàng bù míngbai, tā zhǐshì kànzhe bēizi lǐ de tǔ, ránhòu kànzhe Tàizōng.

"Qīn'ài de dìdi," Tàizōng shuō, "nǐ yào qù duōjiǔ?"

"Wǒ xīwàng sān nián yǐhòu huílái."

"Nián yuè hěn zhǎng, shāngāo lù yuǎn. Jì zhù, gēn qítā guójiā

都沒喝過酒！”

太宗迴答說，“我的兄弟，今天不是其他的時候，這次西遊很特別。請喝了這一杯帶有我們美好心願[13]的酒。”三藏衹能同意，他拿起酒杯，但是在他要喝酒的時候，皇帝抓起一把[14]土，放一點點在酒裡，三藏不明白，他衹是看著杯子裡的土，然後看著太宗。

“親愛的弟弟，”太宗說，“你要去多久？”

“我希望三年以後回來。”

“年月很長，山高路遠。記住，跟其他國家

---

[13] 心願 xīnyuàn – wish
[14] 把 bǎ – (measure word)

de wànqiān jīnzi bǐ, nǐ yídìng yào gèng ài jiālǐ de zhè yì bǎ tǔ!"

Zhè shí Sānzàng míngbai le. Tā zài yícì gǎnxiè huángdì, hēle jiǔ. Ránhòu tā qízhe mǎ hé tā de liǎng míng púrén zǒuchū le mén. Tàizōng huí le gōngdiàn.

Sānzàng hé púrén xiàng xī zǒu le hǎo jǐ tiān. Yǒu yìtiān, tāmen dào le yí gè miào lǐ, Sānzàng hé miào lǐ de héshàngmen zuò zài yìqǐ tán fófǎ. Dào le wǎnshàng, héshàngmen gěi Sānzàng hé tā de púrén zuò le sù shí, zhǔnbèile shuìjiào de dìfāng. Dì èr tiān, tāmen líkāi le. Yòu zǒu le jǐ tiān, tāmen dào le Gǒngzhōu chéng, zài nàlǐ zhù le yì wǎn.

Jǐ tiān yǐhòu, tāmen dào le Hézhōu, zài Tángguó xī biān de

的萬千金子比，你一定要更愛家裡的這一把土！”

這時三藏明白了。他再一次感謝皇帝，喝了酒。然後他騎著馬和他的兩名僕人走出了門。太宗回了宮殿。

三藏和僕人向西走了好幾天。有一天，他們到了一個廟裡，三藏和廟裡的和尚們坐在一起談佛法。到了晚上，和尚們給三藏和他的僕人做了素[15]食[16]、準備了睡覺的地方。第二天，他們離開了。又走了幾天，他們到了鞏州[17]城，在那裡住了一晚。

幾天以後，他們到河州[18]，在唐國西邊的

---

[15] 素 sù – vegetable
[16] 食 shí – food
[17] 鞏州 Gǒngzhōu – Gongzhou (a city)
[18] 河州 Hézhōu – Hezhou (a city)

biānjiè, tāmen zài nàlǐ de yízuò miào lǐ xiūxi. Dāng sì gèng jī jiào de shíhòu, Sānzàng qǐchuáng le. Tiān hái hěn hēi, dànshì míngliàng de yuèliang zài tiānshàng, dìshàng dōu shì shuāng.

Tāmen zài yuèguāng xià zǒule jǐ lǐ lù. Lùshàng de qíngkuàng fēicháng bù hǎo, tāmen zhǐ néng líkāi dàlù, zǒu zài shùlín zhōng. Tūrán, tāmen diào jìn le yí gè shēn dòng lǐ, ránhòu tīng dào yǒurén dàshēng hǎn, “Zhuā zhù tāmen! Zhuā zhù tāmen!” Wǔshí gè yāoguài zhuā zhù Sānzàng hé tā de púrén, bǎ tāmen cóng dòng lǐ lā chūlái.

Sānzàng táitóu kàn dào yí gè kěpà de yāoguài zuò zài bǎozuò shàng, tā hěn dà, tā de yǎnjīng xiàng léi diàn, tā de shēng yīn xiàng léi shēng, tā de yá tài dà le, zhǎng dào le zuǐ wàimiàn, xiàng hěnduō bǎ cháng dāo. Yāoguài wáng hǎn dào, “Bǎ tāmen kǔn qǐlái,

邊界[19]，他們在那裡的一座廟裡休息。當四更雞叫的時候，三藏起床了。天還很黑，但是明亮的月亮在天上，地上都是霜[20]。

他們在月光下走了幾里[21]路。路上的情況非常不好，他們衹能離開大路，走在樹林中。突然，他們掉進了一個深洞裡，然後聽到有人大聲喊，“抓住他們！抓住他們！”五十個妖怪抓住三藏和他的僕人，把他們從洞裡拉出來。

三藏抬頭看到一個可怕的妖怪坐在寶座上，他很大，他的眼睛像雷電，他的聲音像雷聲，他的牙[22]太大了，長到了嘴外面，像很多把長刀。妖怪王喊道，“把他們捆起來，

---

19 邊界　biānjiè – boundary
20 霜　shuāng – frost
21 里　lǐ – (measure word)
22 牙　yá – tooth

yòng tāmen zuò wǎnfàn ba!"

Jiù zài zhège shíhòu, yí gè yāoguài pǎo dào yāoguài wáng de shēnbiān shuō, "Xióngshān zhǔ hé niú yǐnshì lái le!" Xióngshān zhǔ hé niú yǐnshì nà liǎng gè fēicháng gāodà de rén zǒule jìnlái. Yāoguài wáng xiàole, shuō, "Nǐmen hǎo, liǎng wèi xiānshēng jīntiān hǎo ma?"

"Wǒ hěn hǎo, wǒ méiyǒu shénme shì," xióngshān zhǔ shuō.

"Wǒ zhǐshì jīngguò zhèlǐ," niú yǐnshì jiēzhe shuō.

Jiù zài zhège shíhòu, Sānzàng de yí gè púrén kāishǐ dà kū, yīnwèi tā bèi shéngzi kǔn dé tài jǐn le. Xióngshān zhǔ kànzhe tā, "Zhè sān gèrén kàn qǐlái hěn hǎo chī," tā duì yāoguài wáng

用他們做晚飯吧！”

就在這個時候，一個妖怪跑到妖怪王的身邊說，“熊[23]山主[24]和牛隱士[25]來了！”熊山主和牛隱士那兩個非常高大的人走了進來。妖怪王笑了，說，“你們好，兩位先生今天好嗎？”

“我很好，我沒有什麼事，”熊山主說。

“我衹是經過這裡，”牛隱士接著說。

就在這個時候，三藏的一個僕人開始大哭，因為他被繩子捆得太緊了。熊山主看著他，“這三個人看起來很好吃，”他對妖怪王

---

23 熊 xióng – bear
24 主 zhǔ – lord
25 隱 yǐnshì – hermit

妖怪王笑了，說：“你們好，兩位先生今天好嗎？”

Yāoguài wáng xiào le, shuō: “Nǐmen hǎo, liǎng wèi xiānshēng jīntiān hǎo ma?”

The Monster King smiled and said, “Hello, how are you two gentlemen today?”

shuō, "Dànshì wǒmen búyào bǎ suǒyǒu de dōngxi yìqǐ chīdiào, wǒmen xiànzài chī liǎng gè, lìng yí gè liúzhe, zǎofàn de shíhòu chī." Yāoguài wáng tóngyì le, tāmen shā le liǎng gè púrén, bǎ tāmen chī le, Sānzàng hàipà dé yàosǐ.

Sān gè yāoguài wǎnshàng dōu zài chī, hē, shuōhuà. Zǎoshàng hěn zǎo de shíhòu, xióngshān zhǔ hé niú yǐnshì gǎnxiè le yāoguài wáng de wǎnfàn jiù zǒu le. Yāoguài wáng gǎndào hěn lèi, jiù qù shuìjiào le. Hóng hóng de tàiyáng pá shàng le tiān, Sānzàng yí gè rén zài nàlǐ, dànshì méiyǒu bànfǎ dòng, yīnwèi tā háishì bèi shéngzi kǔnzhe.

Tūrán lái le yí wèi lǎorén, shǒu lǐ názhe yì gēn guǎizhàng. Tā zǒu dào Sānzàng qiánmiàn xiàng tā huī le yíxià guǎizhàng. Shéngzi dōu diào le xiàlái, Sānzàng dào zài dìshàng shuō, "Xièxiè nǐ bāngle wǒ zhège wúyòng de héshàng!"

說，“但是我們不要把所有的東西一起吃掉，我們現在吃兩個，另一個留著，早飯的時候吃。”妖怪王同意了，他們殺了兩個僕人，把他們吃了，三藏害怕得要死。

三個妖怪晚上都在吃、喝、說話。早上很早的時候，熊山主和牛隱士感謝了妖怪王的晚飯就走了。妖怪王感到很累，就去睡覺了。紅紅的太陽爬上了天，三藏一個人在那裡，但是沒有辦法動，因為他還是被繩子捆著。

突然來了一位老人，手裡拿著一根拐杖。他走到三藏前面向他揮[26]了一下拐杖。繩子都掉了下來，三藏倒在地上說，“謝謝你幫了我這個無用的和尚！”

---

[26] 揮 huī – to swat

"Qǐlái," lǎorén huídá shuō. "Nǐ shǎo le shénme dōngxi?"

"Wǒ shǎo le liǎng gè púrén. Zuótiān wǎnshàng, wǒmen diào jìn le yí gè dòng, bèi yāoguài wáng hé tā de liǎng gè péngyǒu xióngshān zhǔ hé niú yǐnshì, hái yǒu hěnduō yāoguài zhuā zhù, tāmen bǎ wǒ de púrén dāng wǎn fàn chī le! Wǒ bù zhīdào wǒ de mǎ hé xínglǐ zài nǎlǐ."

"Nàlǐ bú jiùshì nǐ de mǎ ma?" Lǎorén yòng tā de guǎizhàng zhǐzhe wèn dào.

Sānzàng kàn le kàn, rèn chū le tā de mǎ hé tā de xínglǐ, tā zǒu dào mǎ de pángbiān, bǎ tā de xínglǐ fàng zài mǎshàng. Tā duì lǎorén shuō, "Gàosù wǒ, zhè shì shénme dìfāng? Zhèxiē huài

“起來，”老人迴答說。“你少了什麼東西？”

“我少了兩個僕人。昨天晚上，我們掉進了一個洞，被妖怪王和他的兩個朋友熊山主和牛隱士、還有很多妖怪抓住，他們把我的僕人當晚飯吃了！我不知道我的馬和行李在哪裡。”

“那裡不就是你的馬嗎？”老人用他的拐杖指[27]著問道。

三藏看了看，認出了他的馬和他的行李，他走到馬的旁邊，把他的行李放在馬上。他對老人說，“告訴我，這是什麼地方？這些壞

---

[27] 指 zhǐ – to point

rén shì shuí?"

"Nǐ zài guǐguài jīng de dìfāng," lǎorén huídá. "Nàgè yāoguài wáng qíshí shì lǎohǔ jīng, xióngshān zhǔ shì xióng jīng, niú yǐnshì shì niú jīng, yāoguàimen dōu shì shān jīng, shù jīng hé dòngwù jīng. Yīnwèi nǐ xìngzi gānjìng, tāmen bùnéng chī nǐ. Xiànzài gēnzhe wǒ, wǒ huì dài nǐ líkāi zhèlǐ."

Tāmen yìqǐ zǒu huí dào le lùshàng, Sānzàng zhuǎnshēn gǎnxiè lǎorén, jiù zài zhège shíhòu yí zhèn qīng fēng chuī guòlái, lǎorén shēntǐ fēile qǐlái, qí shàng yì zhǐ hóng dǐng bái hè, fēi zǒule. Zài tā fēi zǒu de shíhòu, yì zhāng zhǐ diào zài dìshàng, Sānzàng ná qǐlái dú dào, "Wǒ shì Tàibái Jīnxīng, shì lái bāngzhù nǐ de. Yǐhòu hái huì yǒurén bāngzhù nǐ. Jì zhù, rúguǒ nǐ yǒu máfan, nà búshì shàngtiān gěi nǐ de!"

人是誰？”

“你在鬼怪精[28]的地方，”老人迴答。“那個妖怪王其實是老虎精，熊山主是熊精，牛隱士是牛精，妖怪們都是山精、樹精和動物精。因為你性子乾淨，他們不能吃你。現在跟著我，我會帶你離開這裡。”

他們一起走回到了路上，三藏轉身感謝老人，就在這個時候一陣[29]輕風吹過來，老人身體飛了起來，騎上一隻紅頂白鶴，飛走了。在他飛走的時候，一張紙掉在地上，三藏拿起來讀道，“我是太白金星，是來幫助你的。以後還會有人幫助你。記住，如果你有麻煩，那不是上天給你的！”

---

[28] 精 jīng – spirit
[29] 陣 zhèn – (measure word)

Sānzàng xiàng tiān jūgōng, gǎnxiè Tàibái Jīnxīng de bāngzhù. Ránhòu tā qí shàng nà pǐ hěn lèi de mǎ, yìqǐ màn man xiàng xī zǒu qù. Tāmen zài sēnlín lǐ kàn dào yìxiē dòngwù, dànshì méiyǒu qítā de rén, jiù tāmen zìjǐ, hěn lěng, hěn lèi, hěn è.

Zhè yìtiān tāmen yìzhí zài zǒu, xiàwǔ wǎn xiē shíhòu, Sānzàng kàn dào lù de qiánmiàn tūrán yǒu liǎng zhī hěn dà de lǎohǔ, Sānzàng hái kàn dào zài tā de hòumiàn yǒu liǎng tiáo hěn dà de shé. Zài tā de zuǒbiān yǒu gèng duō de dòngwù, zài tā de yòubiān shì yāoguài, Sānzàng zhīdào tā bùnéng dǎ yíng suǒyǒu zhèxiē shēngwù, tā de mǎ yòu yīnwèi tài lèi le bùnéng zhànzhe, dǎo zài dìshàng, Sānzàng zhīdào tā huì sǐ zài nàlǐ. Dànshì tūrán suǒyǒu de shēngwù dōu pǎo le, Sānzàng kàn dào yí gè hěn gāodà de rén zài lùshàng xiàng tā zǒu lái, nàgè rén shǒu lǐ názhe yì bǎ gāng chā, yāo shàng dàizhe

三藏向天鞠躬，感謝太白金星的幫助。然後他騎上那匹很累的馬，一起慢慢向西走去。他們在森林裡看到一些動物，但是沒有其他的人，就他們自己，很冷、很累、很餓。

這一天他們一直在走，下午晚些時候，三藏看到路的前面突然有兩隻很大的老虎，三藏還看到在他的後面有兩條很大的蛇。在他的左邊有更多的動物，在他的右邊是妖怪，三藏知道他不能打贏所有這些生物，他的馬又因為太累了不能站著，倒在地上，三藏知道他會死在那裡。但是突然所有的生物都跑了，三藏看到一個很高大的人在路上向他走來，那個人手裡拿著一把鋼叉[30]，腰[31]上帶著

[30] 叉 chā – trident, fork
[31] 腰 yāo – waist

gōngjiàn.

“Dàwáng, bāng bāng wǒ ba!” Sānzàng guì zài lùshàng hǎn dào.

“Búyào hàipà,” nàgè gāodà de rén huídá. “Wǒ shēnghuó zài zhè shānlǐ, wǒ jiào Bóqīn. Wǒ zhèngzài zhǎo dōngxi chī. Wǒ xīwàng wǒ méiyǒu ràng nǐ gǎndào hàipà!”

“Zhège wúyòng de héshàng shì Tángguó huángdì bìxià sòng qù xīfāng zhǎo fófǎ de. Wǒ de sìzhōu dōu shì lǎohǔ hé qítā de dòngwù, wǒ xiǎng wǒ huì bèi shā sǐ, dànshì dòngwùmen kàn dào nǐ yǐ hòu dōu pǎo le. Xièxiè!”

“Shì de, dòngwùmen rènshi wǒ, suǒyǐ tāmen pà wǒ. Rúguǒ nǐ shì Tángguó huángdì sòng lái de, nàme nǐ jiùshì zhèlǐ de rén, yīnwèi zhèlǐ háishì Táng dìguó de dìfāng. Nǐ hé wǒ dōu

弓箭[32]。

“大王，幫幫我吧！”三藏跪在路上喊道。

“不要害怕，”那個高大的人迴答。“我生活在這山裡，我叫伯欽[33]。我正在找東西吃。我希望我沒有讓你感到害怕！”

“這個無用的和尚是唐國皇帝陛下送去西方找佛法的。我的四周都是老虎和其他的動物，我想我會被殺死，但是動物們看到你以後都跑了。謝謝！”

“是的，動物們認識我，所以他們怕我。如果你是唐國皇帝送來的，那麼你就是這裡的人，因為這裡還是唐帝國的地方。你和我都

---

[32] 弓箭 gōngjiàn – bow and arrow
[33] 伯欽 Bóqīn – Boqin (a name)

shì tóng yí gè guójiā de rén, gēn wǒ lái, nǐ kěyǐ bǎ nǐ de mǎ fàng zài wǒjiā, míngtiān zǎoshang nǐ kěyǐ jìxù qù xīfāng."

Tāmen yìqǐ zǒu zài lùshàng, tūrán tīng dào le fēng de shēngyīn. "Bié dòng," Bóqīn shuō, "fùjìn yǒu yì zhī shānmāo. Wǒ huì bǎ tā dài huí jiā, wǒmen kěyǐ yǒu hěn hǎo chī de wǎnfàn!" Bóqīn xiàng qián zǒu qù, shǒu lǐ názhe gāng chā. Dà lǎohǔ jiàozhe xiàng tā pǎo guòlái. Bóqīn gāo gāo de ná qǐ gāng chā xiàngzhe lǎohǔ yěshì dà jiào, Sānzàng dǎo zài dìshàng, liǎng zhī shǒu fàng zài tóu shàng, hàipà jí le.

Bóqīn hé lǎohǔ dǎ le liǎng gè duō xiǎoshí, lǎohǔ kāishǐ lèi le, Bóqīn shā sǐle tā, Bóqīn zhuā zhù sǐ lǎohǔ de ěr duǒ, lā zhe tā yìqǐ zǒu zài lùshàng. Sānzàng shuō: "Nǐ zhēnshi shānshén a!"

是同一個國家的人，跟我來，你可以把你的馬放在我家，明天早上你可以繼續去西方。”

他們一起走在路上，突然聽到了風的聲音。“別動，”伯欽說，“附近有一隻山貓。我會把他帶回家，我們可以有很好吃的晚飯！”伯欽向前走去，手裡拿著鋼叉。大老虎叫著向他跑過來。伯欽高高地拿起鋼叉向著老虎也是大叫，三藏倒在地上，兩隻手放在頭上，害怕極了。

伯欽和老虎打了兩個多小時，老虎開始累了，伯欽殺死了它，伯欽抓住死老虎的耳朵，拉著它一起走在路上。三藏說：“你真是山神啊！”

伯欽高高地拿起鋼叉向著老虎也是大叫。

Bóqīn gāo gāo dì ná qǐ gāng chā xiàngzhe lǎohǔ yěshì dà jiào.

Boqin raised his trident and roared back at the tiger.

Tāmen dào le yí gè xiǎo shāncūn, zhège shāncūn lǐ yǒu báisè de fángzi, bù kuān de jiēdào hé xiǎohé shàng de jǐ zuò shí qiáo, nà lǐ yǒu xǔduō dà shù, qīng fēng chuīguò jiēdào, huángsè de qiū yè diào zài dìshàng, báiyún yóu zǒu zài yuǎn shānzhōng.

Tāmen jìnle Bóqīn de jiā, Bóqīn bǎ lǎohǔ rēng zài dìshàng, hǎn dào, "Háizimen, nǐmen zài nǎlǐ?" Fángzi lǐmiàn chūlái èr wèi nǚrén hé sì wèi hěn chǒu de púrén, Bóqīn xiàng Sānzàng jièshào shuō, "Zhè shì wǒ de māma, zhè shì wǒ de qīzi, zhè xiē shì wǒ de púrén."

Ránhòu Bóqīn duì tā de māma shuō, "Māma, zhè wèi shì Tàizōng huángdì sòng qù xīfāng bǎ fófǎ dài huí Táng guó de sēngrén. Nín de érzi gāngcái zài shānshàng yù dào le tā. Yīnwèi wǒmen dōu shì Táng dìguó de rén, wǒ jiù qǐng tā jīntiān wǎnshàng liú zài wǒmen de

他們到了一個小山村[34]，這個山村裡有白色的房子、不寬的街道和小河上的幾座石橋，那裡有許多大樹，輕風吹過街道，黃色的秋葉[35]掉在地上，白雲遊走在遠山中。

他們進了伯欽的家，伯欽把老虎扔在地上，喊道，“孩子們，你們在哪裡？”房子裡面出來二位女人和四位很醜的僕人，伯欽向三藏介紹說，“這是我的媽媽，這是我的妻子，這些是我的僕人。”

然後伯欽對他的媽媽說，“媽媽，這位是太宗皇帝送去西方把佛法帶回唐國的僧人。您的兒子剛才在山上遇到了他。因為我們都是唐帝國的人，我就請他今天晚上留在我們的

---

[34] 村 cūn – village
[35] 葉 yè – leaf

jiālǐ xiūxi."

"Huānyíng nǐ lái wǒmen de jiā!" Bóqīn de māma shuō. "Nǐ lái de zhèng shì hǎo shíhòu. Míngtiān shì wǒ zhàngfu sǐqù yì nián. Nǐ néng bùnéng wèi wǒmen niàn fú?" Sānzàng tóngyì le. Tā hé Bóqīn hái yǒu Bóqīn de qīzi hé māma yìqǐ hē chá. Bùjiǔ, púrén ná lái le zuò hǎo de lǎohǔ ròu. "A, qīn'ài de," Sānzàng shuō, "hěn duìbùqǐ, wǒ bùnéng chī nǐmen zuò de hǎo chī de dōngxi. Cóng chūshēng dào xiànzài, wǒ yìzhí shì yí gè héshàng, méiyǒu chīguò ròu."

Bóqīn xiǎng le yīhuǐ'er, "Hǎo ba, hěnduō niánlái zhège jiā yì zhí shì chī ròu shēnghuó de. Wǒmen jiālǐ méiyǒu sùshí, érqiě wǒmen de guōzi pánzi zhème duō nián lái yěshì yòng lái fàng ròu de. Wǒ bìxū yào qǐng nǐ yuánliàng, wǒ bù zhīdào zěnme gěi

家裡休息。”

“歡迎你來我們的家！”伯欽的媽媽說。“你來的正是好時候。明天是我丈夫死去一年。你能不能為我們念[36]佛？”三藏同意了。他和伯欽還有伯欽的妻子和媽媽一起喝茶。不久，僕人拿來了做好的老虎肉。“啊，親愛的，”三藏說，“很對不起，我不能吃你們做的好吃的東西。從出生到現在，我一直是一個和尚，沒有吃過肉。”

伯欽想了一會兒，“好吧，很多年來這個家一直是吃肉生活的。我們家裡沒有素食，而且我們的鍋子[37]盤子這麼多年來也是用來放肉的。我必須要請你原諒，我不知道怎麼給

---

[36] 念 niàn – to read
[37] 鍋子 guōzi – pot

nǐ sùshí."

"Zhè búshì wèntí," Sānzàng huídá shuō, "wǒ kěyǐ jǐ tiān bù chī dōngxi, duì wǒ lái shuō, bù chī dōngxi bǐ chī ròu gèng hǎo. Qǐng màn yòng nǐmen de wǎnfàn!"

"A, qǐng búyào shuō le!" Bóqīn de māma jiào dào, "Nǐ shì wǒmen de kèrén, wǒmen dāngrán bú huì ràng nǐ liú zài zhèlǐ bù gěi nǐ yìxiē nǐ kěyǐ chī de dōngxi. Wǒ huì wèi nǐ zhǔnbèi sùshí." Ránhòu, tā hé Bóqīn de qīzi yìqǐ zǒu jìn le chúfáng. Tāmen yòng huǒshāo guōzi, yìzhí dào suǒyǒu de yóu dōu bèi huǒ shāo diào. Ránhòu tāmen bǎ guōzi xǐ le yícì yòu yícì, ránhòu bǎ tā fàng zài huǒ shàng, jiā shàng shuǐ, shùyè, cài hé mǐfàn, zuò chéng sùshí tāng.

你素食。”

“這不是問題，”三藏迴答說，“我可以幾天不吃東西，對我來說，不吃東西比吃肉更好。請慢用你們的晚飯！”

“啊，請不要說了！”伯欽的媽媽叫道，“你是我們的客人，我們當然不會讓你留在這裡不給你一些你可以吃的東西。我會為你準備素食。”然後，她和伯欽的妻子一起走進了廚房[38]。他們用火燒[39]鍋子，一直到所有的油[40] 都被火燒掉。然後他們把鍋子洗了一次又一次，然後把它放在火上，加上水、樹葉、菜和米飯，做成素食湯。

---

[38] 廚房　chúfáng – kitchen
[39] 烧　shāo – to burn
[40] 油　yóu – oil

"Qǐng chī zhège," Bóqīn de māma duì Sānzàng shuō, "zhè shì wǒmen zuòguò de zuì gānjìng de fàncài."

Sānzàng chī le sùshí tāng, Bóqīn zǒu jìn lìng yí gè fángjiān, chī le yí dà wǎn lǎohǔ ròu, shé ròu hé lù ròu.

Wǎnfàn hòu, Sānzàng hé Bóqīn zài wàimiàn zǒulù. Tāmen zuò zài huāyuán lǐ shuō le yīhuǐ'er huà, dāng tāmen zuò zài nàlǐ de shíhòu, jǐ zhī lù zǒu le guòqù. Sānzàng shuō, "Zhèxiē lù búpà nǐ!"

"Zài nǐmen Cháng'ān chéng lǐ, rénmen huì fàng hěnduō qián yòng lái miàn duì kěnéng chūxiàn de nánshì. Zài xiāngcūn, rénmen de jiālǐ huì fàng hěnduō shíwù yěshì yíyàng de yìsi. Zài zhèlǐ, wǒmen huì liúxià zhèxiē dòngwù."

"請吃這個，" 伯欽的媽媽對三藏說，"這是我們做過的最乾淨的飯菜。"

三藏吃了素食湯，伯欽走進另一個房間，吃了一大碗老虎肉、蛇肉和鹿[41]肉。

晚飯後，三藏和伯欽在外面走路。他們坐在花園裡說了一會兒話，當他們坐在那裡的時候，幾隻鹿走了過去。三藏說，"這些鹿不怕你！"

"在你們長安城裡，人們會放很多錢用來面對可能出現的難事。在鄉村[42]，人們的家裡會放很多食物也是一樣的意思。在這裡，我們會留下這些動物。"

---

41 鹿　lù – deer
42 鄉村　xiāngcūn – rural

Nà tiān wǎnshàng, Bóqīn bàba de línghún lái dào le Bóqīn de mèng zhōng, yě lái dào le Bóqīn de māma hé qīzi de mèng zhōng. Zài měi yí gè mèng lǐ, Bóqīn de bàba dōu zhèyàng shuō, "Guòqù de yì nián, wèi le wǒ huózhe de shíhòu zuòguò de suǒyǒu shìqing, wǒ zhǐ néng zài dìyù lǐ hěn tòngkǔ. Yánluó Wáng bú ràng wǒ líkāi nàlǐ. Dànshì shèngsēng niànfó yǐjīng bǎ suǒyǒu de dōu biàn le. Xiànzài Yánluó Wáng yào bǎ wǒ sòng dào Zhōngguó hěn yǒu qián de dìfāng, zài nàlǐ wǒ huì zài yícì chūshēng zài yí gè yǒu qián de jiālǐ. Nǐmen dōu yào gǎnxiè shèngsēng, yào zhàogù tā!"

Zǎoshàng, Bóqīn jiālǐ de suǒyǒu rén dōu qù jiàn Sānzàng, yícì yòu yícì de gǎnxiè Sānzàng bāngzhù le tāmen sǐqù de bàba. Tāmen yào gěi Sānzàng qián, dànshì Sānzàng zhǐshì duì Bóqīn shuō, "Wǒ bùnéng ná nǐ de qián, dànshì wǒ xiǎng qǐng nǐ hé wǒ yìqǐ zài zǒu yíduàn lù, hǎo ma?"

Suǒyǐ nà tiān Bóqīn, Sānzàng hé jǐ gè púrén jìxù zǒulù,

那天晚上，伯欽爸爸的靈魂來到了伯欽的夢中，也來到了伯欽的媽媽和妻子的夢中。在每一個夢裡，伯欽的爸爸都這樣說，“過去的一年，為了我活著的時候做過的所有事情，我衹能在地獄裡很痛苦。閻羅王不讓我離開那裡。但是聖僧念佛已經把所有的都變了。現在閻羅王要把我送到中國很有錢的地方，在那裡我會再一次出生在一個有錢的家裡。你們都要感謝聖僧，要照顧他！”

早上，伯欽家裡的所有人都去見三藏，一次又一次地感謝三藏幫助了他們死去的爸爸。他們要給三藏錢，但是三藏衹是對伯欽說，“我不能拿你的錢，但是我想請你和我一起再走一段路，好嗎？”

所以那天伯欽、三藏和幾個僕人繼續走路，

xiàng xī zǒuguò měilì de qún shān. Jǐ gè xiǎoshí yǐhòu, tāmen lái dào le yízuò tèbié dà de shānlǐ, tāmen pá dào yíbàn, Bóqīn bù zǒu le, shuō, "Shèngsēng, qǐng nǐ zìjǐ jìxù ba. Wǒ bùnéng zài zǒu guòqù le, zhè zuò shān yǒu liǎng gè biānjiè, dōngbiān shì dà Táng dìguó, xībiān shì Dá Dá. Wǒ bùnéng yuèguò biānjiè. Nǐ bìxū zìjǐ guòqù."

Sānzàng hěn bù gāoxìng, tā qǐng Bóqīn búyào biàn zhǔyì. Jiù zài zhège shíhòu, xiàng léi shēng yíyàng dà de yí gè shēngyīn zài shānxià hǎn dào, "Wǒ de shīfu lái le! Wǒ de shīfu lái le!" Bóqīn hé Sānzàng dōu pà le. Dànshì púrén xiào le, shuō, "Yídìng shì shānxià shí xiāng lǐ de lǎo hóu zài hǎn."

Bóqīn diǎn le diǎntóu shuō, "Shì de, nǐ shuō dé duì, yídìng

向西走過美麗的群山。幾個小時以後，他們來到了一座特別大的山裡，他們爬到一半，伯欽不走了，說，“聖僧，請你自己繼續吧。我不能再走過去了，這座山有兩個邊界，東邊是大唐帝國，西邊是韃靼[43]。我不能越過边界。你必须自己過去。”

三藏很不高興，他請伯欽不要變主意。就在這個時候，像雷聲一樣大的一個聲音在山下喊道，“我的師父[44]來了！我的師父來了！”伯欽和三藏都怕了。但是僕人笑了，說，“一定是山下石箱[45]裡的老猴在喊。”

伯欽點了點頭說，“是的，你說得對，一定

[43] 韃靼 Dá Dá – Tartars
[44] 師父 shīfu – master
[45] 箱 xiāng – box

shì tā."

"Nàgè lǎo hóu shì shuí?" Sānzàng wèn.

"Zhè shì yí gè fēicháng lǎo de gùshì," Bóqīn shuō. "Yīnwèi Táng huángdì ná xià le zhège dìfāng, suǒyǐ zhè zuò shān bèi jiào zuò Liǎng Jiè Shān. Dàn zài zhè yǐqián, tā bèi jiào zuò Wǔ Zhǐ Shān. Tīng shuō jǐ bǎi nián yǐqián, zhè zuò shān cóng tiānshàng diào xiàlái, lǐmiàn yǒu yì zhī hóuzi. Zhè zhīhóuzi búpà rè búpà lěng, shì chángshēng bùlǎo de. Tā bèi dìqiú shàng de shén guānzhe, tā è de shíhòu gěi tā chī tiě qiú, kǒu kě de shíhòu gěi tā hē tóng shuǐ. Wǒmen bù xūyào hàipà. Wǒmen xiàshān qù kàn kàn."

Sānzàng tóngyì le, tāmen zǒu huí shānxià, hěn kuài zhǎodào le yí

是他。”

“那個老猴是誰？”三藏問。

“這是一個非常老的故事，”伯欽說。“因為唐皇帝拿下了這個地方，所以這座山被叫作兩界山[46]。但在這以前，它被叫作五指山。聽說幾百年以前，這座山從天上掉下來，裡面有一隻猴子。這隻猴子不怕熱不怕冷，是長生不老的。他被地球[47]上的神關著，他餓的時候給他吃鐵球，口渴的時候給他喝銅水。我們不需要害怕。我們下山去看看。”

三藏同意了，他們走回山下，很快找到了一

[46] 兩界山 Liǎng Jiè Shān – Mountain of Two Frontiers
[47] 地球 dìqiú – earth

gè shí xiāng, shí xiāng lǐmiàn shì yì zhī hóuzi, nàgè hóuzi dāngrán jiùshì Sūn Wùkōng, tā yǐjīng zài shí xiāng lǐ zhù le wǔbǎi nián le, tā xiànzài hěn bù gānjìng, cóng tóu dào jiǎo dōu shì tǔ hé cǎo.

Sūn Wùkōng de tóu cóng shí xiāng lǐ chūlái, tā fēicháng shēngqì de huī le huīshǒu, hǎn dào, "Shīfu, nǐ wèishénme zhème cháng shí jiān cái lái? Huānyíng! Huānyíng! Qǐng ràng wǒ líkāi zhèlǐ, wǒ huì zài qù xīfāng de lùshàng bǎohù nǐ de!"

Sānzàng méiyǒu dòng, dànshì Bóqīn mǎshàng zǒu dào hóuzi shēnbiān, ná diào tā liǎn shàng de yìxiē cǎo hé tǔ, wèn, "Xiànzài wǒ kěyǐ kànjiàn nǐ le. Nǐ yǒu shénme huà yào shuō ma?"

"Wǒ méiyǒu shénme huà yào duì nǐ shuō," Sūn Wùkōng lěng lěng de shuō. "Dànshì qǐng wǒ shīfu dào wǒ zhèlǐ lái. Wǒ yǒu yí gè wèntí yào wèn tā."

個石箱，石箱裡面是一隻猴子，那個猴子當然就是孫悟空，他已經在石箱裡住了五百年了，他現在很不干淨，從頭到腳都是土和草。

孫悟空的頭從石箱裡出來，他非常生氣地揮了揮手，喊道，“師父，你為什麼這麼長時間才來？歡迎！歡迎！請讓我離開這裡，我會在去西方的路上保護你的！”

三藏沒有動，但是伯欽馬上走到猴子身邊，拿掉他臉上的一些草和土，問，“現在我可以看見你了。你有什麼話要說嗎？”

“我沒有什麼話要對你說，”孫悟空冷冷地說。”但是請我師父到我這裡來。我有一個問題要問他。”

那個猴子當然就是孫悟空。

Nàgè hóuzi dāngrán jiùshì Sūn Wùkōng.

The monkey, of course, was Sun Wukong.

Sānzàng zǒu le guòlái, "Nǐ yào wèn shénme wèntí?" tā wèn.

"Dōngfāng de dàdì jiào nǐ qù xīfāng zhǎo fófǎ, shì ma?"

"Shì de."

"Wǒ shì Sūn Wùkōng, Qí Tiān Dà Shèng. Wǔbǎi nián yǐqián, wǒ zài tiāngōng zhǎo le hěnduō máfan, suǒyǐ fózǔ bǎ wǒ fàng jìn le zhège shí xiāng. Zuìjìn wǒ yù dào le fózǔ Guānyīn, nà shí tā zhèngzài zhǎo yí wèi shèngsēng qù xīfāng, wǒ ràng tā bāng wǒ, tā yào wǒ tīng fú dehuà, bǎohù shèngsēng, tā shuō rúguǒ wǒ nàyàng zuò le, wǒ huì méiyǒu shì de. Suǒyǐ wǒ yìzhí zài děngzhe nǐ lái. Ràng wǒ zài lǚtú zhōng bǎohù nǐ, ràng wǒ chéngwéi nǐ de túdì!"

三藏走了過來，“你要問什麼問題？”他問。

“東方的大帝叫你去西方找佛法，是嗎？”

“是的。”

“我是孫悟空，齊天大聖。五百年以前，我在天宮找了很多麻煩，所以佛祖把我放進了這個石箱。最近我遇到了佛祖觀音，那時她正在找一位聖僧去西方，我讓她幫我，她要我聽佛的話，保護聖僧，她說如果我那樣做了，我會沒有事的。所以我一直在等著你來。讓我在旅途[48]中保護你，讓我成為你的徒弟[49]！”

---

[48] 旅途 lǚtú – journey
[49] 徒弟 túdì – apprentice

Sānzàng shuō, "Wǒ hěn gāoxìng nǐ zuò wǒ de túdì. Dànshì, wǒ zěnme cáinéng ràng nǐ cóng zhège shí xiāng lǐ chūlái ne?"

Sūn Wùkōng shuō, "Zhè zuò shān de shāndǐng shàng yǒu fózǔ xiě de zì pái, qù nàlǐ ná qǐ nà zì pái, wǒ jiù kěyǐ chūlái le."

Sānzàng hé Bóqīn pá shàng le gāoshān dǐng, zhàn zài shàngmiàn, tāmen kěyǐ kàn dào sìbǎi lǐ de měi gè fāngxiàng. Qiān wàn tiáo jīnsè de guāng cóng yíkuài hěn dà hěn dà de shítou shàng fāchū, shítou shàng yǒu yí gè dài yǒu jīnzì "om mani padme hum" de xiǎozì pái.

Sānzàng zài shítou qián guì xià. Tā bì shàng yǎnjīng, duì fózǔ shuō, "Nǐ ràng nǐ de túdì qù zhǎo fófǎ. Rúguǒ nǐ xiǎng ràng zhè zhī hóuzi lái bāngzhù wǒ, chéngwéi wǒ de túdì, nàme ràng

三藏說，“我很高興你做我的徒弟。但是，我怎麼才能讓你從這個石箱裡出來呢？”

孫悟空說，“這座山的山頂上有佛祖寫的字牌[50]，去那裡拿起那字牌，我就可以出來了。”

三藏和伯欽爬上了高山頂，站在上面，他們可以看到四百里的每個方向。千萬條金色的光從一塊很大很大的石頭上發出，石頭上有一個帶有金字“om mani padme hum”的小字牌。

三藏在石頭前跪下。他閉上眼睛，對佛祖說，“你讓你的徒弟去找佛法。如果你想讓這隻猴子來幫助我，成為我的徒弟，那麼讓

---

[50] 字牌　zì pái – a sign with words

wǒ ná qǐ zì pái. Dànshì rúguǒ tā zhǐshì yí gè xiǎng yào shānghài wǒ de lěngxuě yāoguài, nàme búyào ràng wǒ ná qǐ zì pái." Ránhòu tā yòng shǒu qù ná zì pái, zì pái hěn róngyì jiù bèi ná qǐlái le.

Mǎshàng yǒu yízhènfēng chuī lái, bǎ zì pái cóng Sānzàng de shǒuzhōng chuī le xiàlái. Tā tīng dào yí gè shēngyīn shuō, "Wǒ shì dà shèng de bǎohù rén. Jīntiān tā zài shí xiāng lǐ de shíjiān yǐjīng jiéshù le, wǒ de gōngzuò yǐjīng wánchéng le. Xiànzài wǒ yào bǎ zhège zì pái huán gěi fózǔ."

Sānzàng hé Bóqīn xià le shān huí dào le shí xiāng nàlǐ. Tāmen duì Sūn Wùkōng shuō, "Zì pái yǐjīng bèi ná qǐlái le, nǐ xiànzài kěyǐ chūlái le."

Sūn Wùkōng gāoxìng de shuō, "Xièxiè shīfu! Xiànzài qǐng lí zhèlǐ yuǎn yìxiē, zhèyàng wǒ jiù kěyǐ chūlái. Búyào hàipà!"

我拿起字牌。但是如果他衹是一個想要傷害我的冷血妖怪，那麼不要讓我拿起字牌。”然後他用手去拿字牌，字牌很容易就被拿起來了。

馬上有一陣風吹來，把字牌從三藏的手中吹了下來。他聽到一個聲音說，“我是大聖的保護人。今天他在石箱裡的時間已經結束了，我的工作已經完成了。現在我要把這個字牌還給佛祖。”

三藏和伯欽下了山回到了石箱那裡。他們對孫悟空說，“字牌已經被拿起來了，你現在可以出來了。”

孫悟空高興地說，“謝謝師父！現在請離這裡遠一些，這樣我就可以出來。不要害怕！”

Sānzàng hé Bóqīn zǒu dào wǔ lǐ yuǎn de dìfāng, dànshì hóuzi hǎn dào, "Zài zǒu! Zài zǒu!" Tāmen yìzhí zǒu, yìzhí dào líkāi le nà zuò shān. Tāmen tīng dào léi shēng nàyàng dà de shēngyīn, jiù xiàng zhè zuò shān bèi kǎn chéng liǎng bàn. Tūrán, zhǐ jiàn nà hóuzi zhàn zài Sanzàng miànqián, shēnshàng méiyǒu yí jiàn yīfu.

Tā guì le xiàlái, hǎn dào, "Shīfu, wǒ chūlái le!" Tā xiàng Sānzàng sì cì jūgōng. Ránhòu tā zhuǎnshēn duì Bóqīn shuō, "Xièxiè gēge bāngzhù wǒ de shīfu lái dào zhèlǐ, hái xièxiè nǐ ná diào wǒ liǎn shàng de tǔ hé cǎo." Ránhòu tā kāishǐ qù zhǔnbèi Sānzàng de xínglǐ.

Bóqīn xiàng Sānzàng hé Sūn Wùkōng shuō le zàijiàn hòu jiù huí jiā le. Sānzàng qízhe mǎ, Sūn Wùkōng názhe xínglǐ, tāmen kāishǐ xiàng xī zǒu qù.

Tāmen jīngguò Liǎng Jiè Shān yǐhòu, yòu jiàn yì zhī lǎohǔ zhàn zài lù

三藏和伯欽走到五里遠的地方，但是猴子喊道，“再走！再走！”他們一直走，一直到離開了那座山。他們聽到雷聲那樣大的聲音，就像這座山被砍成兩半。突然，衹見那猴子站在三藏面前，身上沒有一件衣服。

他跪了下來，喊道，“師父，我出來了！”他向三藏四次鞠躬。然後他轉身對伯欽說，“謝謝哥哥幫助我的師父來到這裡，還謝謝你拿掉我臉上的土和草。”然後他開始去準備三藏的行李。

伯欽向三藏和孫悟空說了再見後就回家了。三藏騎著馬，孫悟空拿著行李，他們開始向西走去。

他們經過兩界山以後，又見一隻老虎站在路

三藏騎著馬，孫悟空拿著行李，他們開始向西走去。

Sānzàng qízhe mǎ, Sūn Wùkōng názhe xínglǐ, tāmen kāishǐ xiàng xī zǒu qù.

Sanzang mounted his horse, and Sun Wukong picked up the baggage. They started walking westward.

shàng, Sānzàng yòu hàipà le, dàn Sūn Wùkōng shuō, "Búyòng dānxīn, shīfu. Zhè zhī lǎohǔ shì lái gěi wǒ sòng yīfu de!"

Sūn Wùkōng cóng tā de ěrduǒ lǐ ná chū yì gēn xiǎo zhēn, nà gēn xiǎo zhēn hěn kuài biàn chéng yì gēn chángcháng de tiě bàng, jiù xiàng yì zhī fànwǎn yíyàng cū. Tā duì Sānzàng shuō, "Shīfu, zhè shì wǒ de Jīn Gū Bàng. Zhè wǔbǎi nián lái wǒ méiyǒu yòngguò tā. Wǒ xiǎng tā xūyào yìxiē duànliàn le!" Ránhòu tā zǒu dào lǎohǔ shēnbiān, huī qǐ Jīn Gū Bàng dǎ zài tā de tóu, lǎohǔ mǎshàng jiù bèi dǎ sǐ le.

Ránhòu, tā cóng zìjǐ tóu shàng ná le yìxiē tóufǎ, chuī le kǒu qì. Tóufǎ biàn chéng le cháng dāo. Sūn Wùkōng yòng dāo bǎ lǎohǔ de pí fēn le chūlái. "Tài dà le," tā duì zìjǐ shuō, suǒyǐ tā yòng dāo bǎ pí fēnchéng liǎng kuài. Tā bǎ yíkuài pí bāo zài

上，三藏又害怕了，但孫悟空說，“不用擔心，師父。這隻老虎是來給我送衣服的！”

孫悟空從他的耳朵裡拿出一根小針[51]，那根小針很快變成一根長長的鐵棒，就像一隻飯碗一樣粗。他對三藏說，“師父，這是我的金箍棒。這五百年來我沒有用過它。我想它需要一些鍛煉了！”然後他走到老虎身邊，揮起金箍棒打在它的頭，老虎馬上就被打死了。

然後，他從自己頭上拿了一些頭髮，吹了口氣[52]。頭髮變成了長刀。孫悟空用刀把老虎的皮分了出來。“太大了，”他對自己說，所以他用刀把皮分成兩塊。他把一塊皮包在

---

[51] 針　　zhēn – needle
[52] 氣　　qì – gas, air, breath

yāo shàng, bǎ lìng yíkuài pí fàng jìn xínglǐ.

"Wǒmen zǒu ba, shīfu," tā shuō, "wǒmen yù dào zhùjiā de shíhòu, wǒ jiù kěyǐ bǎ lǎohǔ pí zuò chéng hǎokàn de yīfu."

Sānzàng kàn dào Sūn Wùkōng zhènme kuài zhènme róngyì jiù bǎ lǎohǔ shā sǐ le, hái zài hàipà, "Nà tiě bàng shì shénme?" tā wèn.

"Shīfu, zhè shì Jīn Gū Bàng. Shìjiè shàng zhǎo bú dào gēn zhège yíyàng de dōngxi le. Wǒ zài hěnjiǔ yǐqián jiù yǒu le tā, nàgè shíhòu wǒ hái zài tiānshàng hé rénjiān zhǎo máfan. Wǒ bú huì zài zhǎo máfan le, dànshì zhè gēn bàng hái zài wǒ zhèlǐ. Jiù xiàng nǐ kàn dào de, tā fēicháng yǒuyòng."

Shíjiān yǐjīng bù zǎo le, tàiyáng xiàshān de shíhòu, hěnduō hěn

腰上，把另一塊皮放進行李。

“我們走吧，師父，”他說，“我們遇到住家的時候，我就可以把老虎皮做成好看的衣服。”

三藏看到孫悟空這麼快這麼容易就把老虎殺死了，還在害怕，“那鐵棒是什麼？”他問。

“師父，這是金箍棒。世界上找不到跟這個一樣的東西了。我在很久以前就有了它，那個時候我還在天上和人間找麻煩。我不會再找麻煩了，但是這根棒還在我這裡。就像你看到的，它非常有用。”

時間已經不早了，太陽下山的時候，很多很

duō yún zài tiānshàng, niǎo er zài qún shānzhōng chànggē, fēi jìn sēnlín guòyè, dòngwùmen kāishǐ zǒu huí tāmen zìjǐ de jiā, yuèliang pá shàng le tiān, qiān wàn kē xīngxīng de guāng zhào zài Sānzàng hé tā de xīn túdì de shēnshàng.

"Shīfu," Sūn Wùkōng shuō, "yǐjīng hěn wǎn le. Wǒmen kuàizǒu ba. Qiánmiàn shùlín lǐ yìnggāi yǒu yí zhuàng fángzi. Wǒmen jīntiān wǎnshàng kěyǐ zhù zài nàlǐ."

Shùlín lǐ yǒu yí zhuàng fángzi, tāmen lái dào le mén qián, Sānzàng pāi le mén. Yí wèi lǎorén dǎkāi le mén. Tā kàn le yíxià Sūn Wùkōng, yì zhī yāo shàng bāozhe lǎohǔ pí de bù gānjìng de hóuzi. "Guǐ! Guǐ!" tā kū le, tā fēicháng hàipà.

"Búyào hàipà, wǒ de lǎo péngyǒu," Sānzàng shuō. "Tā

多雲在天上，鳥兒在群山中唱歌，飛進森林過夜，動物們開始走回它們自己的家，月亮爬上了天，千萬顆[53]星[54]星的光照在三藏和他的新徒弟的身上。

“師父，”孫悟空說，“已經很晚了。我們快走吧。前面樹林裡應該有一幢房子。我們今天晚上可以住在那裡。”

樹林裡有一幢房子，他們來到了門前，三藏拍了門。一位老人打開了門。他看了一下孫悟空，一隻腰上包著老虎皮的不干淨的猴子。“鬼！鬼！”他哭了，他非常害怕。

“不要害怕，我的老朋友，”三藏說。“他

---

[53] 顆 kē – (measure word)
[54] 星 xīng – star

búshì guǐ, tā shì wǒ de túdì."

Nà rén yòu kàn le kàn Sūn Wùkōng, ránhòu kànzhe Sānzàng shuō, "Nǐ shì shuí, wèishénme bǎ zhège yāoguài dài dào wǒjiā?"

"Wǒ zhǐshì Táng guó de yí gè wúyòng de héshàng, qù xīfāng zhǎo fófǎ. Shíjiān yǐjīng bù zǎo le, suǒyǐ wǒmen lái dào le nǐ měilì de jiā, qǐng ràng wǒmen zài zhèlǐ guòyè ba, wǒmen bú huì gěi nǐ dài lái máfan de, wǒmen míngtiān zǎoshàng hěn zǎo jiù huì líkāi zhèlǐ."

"Nàme," lǎorén shuō, "nǐ kěnéng shì gè Táng rén, dànshì nǐ shēnbiān de zhège yāoguài yídìng búshì táng rén."

Sūn Wùkōng shuō, "Lǎorén, nǐ de tóu shàng méiyǒu yǎnjīng ma? Wǒ dāngrán búshì táng rén, wǒ shì zhè wèi shèngsēng de túdì, wǒ

不是鬼，他是我的徒弟。”

那人又看了看孫悟空，然後看著三藏說，“你是誰，為什麼把這個妖怪帶到我家？”

“我衹是唐國的一個無用的和尚，去西方找佛法。時間已經不早了，所以我們來到了你美麗的家，請讓我們在這裡過夜吧，我們不會給你帶來麻煩的，我們明天早上很早就會離開這裡。”

“那麼，”老人說，“你可能是個唐人，但是你身邊的這個妖怪一定不是糖人。”

孫悟空說，“老人，你的頭上沒有眼睛嗎？我當然不是糖人，我是這位聖僧的徒弟，我

háishì Qí Tiān Dà Shèng. Wǒmen yǐqián jiànguò miàn. Nǐ bú rènshi wǒ le ma?"

"Wǒ bú rènshi nǐ!" lǎorén huídá.

"Nǐ jiànguò wǒ. Nǐ niánqīng de shíhòu, nǐ cháng cháng jīngguò wǒjiā fùjìn, wǒ zhù zài liǎng gè shān zhōngjiān de yí gè shí xiāng lǐ. Nǐ xiànzài rèn chū wǒ le ma?"

Lǎorén rènzhēn kàn le kàn Sūn Wùkōng, "Shì de, wǒ xiànzài rèn chū nǐ le. Wǒ xiǎo de shíhòu jiànguò nǐ, dànshì nǐ liǎn shàng yǒu tǔ hé cǎo, wǒ jìdé wǒ yéye gàosùguò wǒ yí gè hěn lǎo hěn lǎo de guānyú zhè zuò cóng tiānshàng diào xiàlái de shān de gùshì, tā shuō lǐmiàn yǒu yì zhī shénqí de hóuzi, bèi fàng zài yí gè shí xiāng lǐ. Dàn nà shì jǐ bǎi nián yǐqián de shì le, wǒ bù míngbai nǐ xiànzài zěnme hái huózhe, dànshì méiguānxì, wǒmen lái chī dōngxi ba!"

還是齊天大聖。我們以前見過面。你不認識我了嗎？”

“我不認識你！”老人迴答。

“你見過我。你年輕的時候，你常常經過我家附近，我住在兩個山中間的一個石箱裡。你現在認出我了嗎？”

老人認真看了看孫悟空，“是的，我現在認出你了。我小的時候見過你，但是你臉上有土和草，我記得我爺爺告訴過我一個很老很老的關於這座從天上掉下來的山的故事，他說裡面有一隻神奇的猴子，被放在一個石箱裡。但那是幾百年以前的事了，我不明白你現在怎麼還活著，但是沒關係，我們來吃東西吧！”

Lǎorén zhǔnbèi le hǎo chī de sùshí. Chī wán fàn yǐhòu, Sūn Wùkōng shuō, "Lǎorén, wǒ wǔbǎi nián méiyǒu xǐzǎo le, qǐng shāo yìxiē rè shuǐ, ràng wǒ hé wǒ de shīfu xǐ gè zǎo." Shīfu hé túdì liǎng gè rén xǐ le rè shuǐ zǎo. Ránhòu, Sūn Wùkōng jiè le zhēn, yòng lǎohǔ pí zuò le yīfu, zhèyàng tā jiù kěyǐ chuān dé shūfu xiē. Ránhòu lǎorén bǎ tāmen dài dào shuìjiào de dìfāng.

Dì èr tiān zǎofàn yǐhòu, Sānzàng hé Sūn Wùkōng líkāi le lǎorén de jiā, xiàng xī zǒu qù. Tiānqì hěn lěng, tiānshàng yǒu yìxiē yún kàn shàngqù yào xià xuě.

Dāng tāmen zǒu zài lùshàng de shíhòu, liù gè rén zài tāmen miànqián tūrán tiào le chūlái, suǒyǒu de rén dōu názhe cháng dāo, "Zhànzhù, héshàng!" Tāmen zhōng yí gè rén kū jiàozhe, "Bǎ nǐmen de mǎ hé xínglǐ gěi wǒmen, wǒmen huì ràng nǐmen zǒu.

老人準備了好吃的素食。吃完飯以後，孫悟空說，“老人，我五百年沒有洗澡了，請燒一些熱水，讓我和我的師父洗個澡。”師父和徒弟兩個人洗了熱水澡。然後，孫悟空借了針，用老虎皮做了衣服，這樣他就可以穿得舒服些。然後老人把他們帶到睡覺的地方。

第二天早飯以後，三藏和孫悟空離開了老人的家，向西走去。天氣很冷，天上有一些雲看上去要下雪。

當他們走在路上的時候，六個人在他們面前突然跳了出來，所有的人都拿著長刀，“站住[55]，和尚！”他們中一個人哭叫著，“把你們的馬和行李給我們，我們會讓你們走。

[55] 站住 zhànzhù – stop

Rúguǒ nǐmen yào dǎ wǒmen, nà nǐmen jiù huì sǐ de."

Sānzàng hěn hàipà, dǎo zài dìshàng, dànshì Sūn Wùkōng zhǐshì xiào xiào shuō, "Shīfu, bié dānxīn, zhè liù wèi xiānshēng xiǎng yào zài zhèlǐ wèi wǒmen de lǚtú sòng yìxiē yīfu hé yìxiē qián."

"Nǐ méi tīng dào ma? Tāmen xiǎng shā le wǒmen!" Sānzàng hǎn dào.

"Bié dānxīn, shīfu, ràng lǎo hóuzi miàn duì zhè shì ba." Tā duì nà liù gè rén shuō, "Xiānshēngmen, hěn duìbùqǐ, wǒ bú rènshi nǐmen, qǐng gàosù wǒ nǐmen de míngzì."

"Nǐ bú rènshi wǒmen, nǐ zhège bèn hóuzi? Wǒmen hěn yǒumíng de!" Tāmen zhōng de yí gè rén shuō, "Wǒ shì

如果你們要打我們，那你們就會死的。”

三藏很害怕，倒在地上，但是孫悟空祇是笑笑說，“師父，別擔心，這六位先生想要在這裡為我們的旅途送一些衣服和一些錢。”

“你沒聽到嗎？他們想殺了我們！”三藏喊道。

“別擔心，師父，讓老猴子面對這事吧。”他對那六個人說，“先生們，很對不起，我不認識你們，請告訴我你們的名字。”

“你不認識我們，你這個笨猴子？我們很有名的！”他們中的一個人說，“我是

Yǎn Kàn Xǐ. Nà biān jǐ gè shì Ěr Tīng Nù, Bí Wén Ài, Shé Cháng Sī, Xīn Zhī Yù hé Shēn Běn Yōu."

Sānzàng mǎshàng míngbai zhèxiē rén búshì pǔtōng de rén, tāmen zhēn de shì liù zhǒng bùtóng de shēntǐ gǎnjué, tāmen hěn nán juéwù. Tā bǎ zhèxiē gàosù le Sūn Wùkōng.

Sūn Wùkōng zhǐshì shuō, "Shīfu, wǒ zhǐ kàn dào liù gè qiángdào." Ránhòu tā duì qiángdàomen shuō, "Gàosù wǒ nǐmen cóng biérén nàlǐ ná le shénme, zhèyàng wǒmen jiù kěyǐ ná wǒmen xūyào de dōngxi. Rúguǒ nǐmen nàyàng zuò le, nǐmen huì huó dào míngtiān de."

Liù gè rén zhōng de měi yí gè rén tīng dào le Sūn Wùkōng shuō dehuà,

眼看喜[56]。那邊幾個是耳聽怒[57]、鼻聞愛[58]、舌嘗思[59]、心知欲[60]和身本憂[61]。”

三藏馬上明白這些人不是普通的人，他們真的是六種不同的身體感覺，他們很難覺悟[62]。他把這些告诉了孙悟空。

孫悟空衹是說，“師父，我衹看到六個強盜。”然後他對強盜們說，“告訴我，你們從別人那裡拿了什麼，這樣我們就可以拿我們需要的東西。如果你們那樣做了，你們會活到明天的。”

六個人中的每一個人聽到了孫悟空說的話，

---

[56] 眼看喜 Yǎn Kàn Xǐ – Eye that Sees Happiness (a name)
[57] 耳聽怒 Ěr Tīng Nù – Ear Hearing Anger (a name)
[58] 鼻聞愛 Bí Wén Ài – Nose That Smells Love (a name)
[59] 舌嘗思 Shé Cháng Sī – Tongue That Tastes Thought (a name)
[60] 心知欲 Xīn Zhī Yù – Mind That Knows Desire (a name)
[61] 身本憂 Shēn Běn Yōu – Body That Hurts and Suffers (a name)
[62] 覺悟 juéwù – enlightenment

dànshì měi gè rén de gǎnjué dōu bù yíyàng, yǒuxǐ, yǒu nù, yǒu ài, yǒu sī, yǒu yù, yǒu yōu. Dànshì tāmen dōu yòng dāo kǎn Sūn Wùkōng, xiǎng yào shā sǐ tā, tāmen yòng dāo bǎ Sūn Wùkōng de tóu dǎ le qī, bāshí cì, Sūn Wùkōng zhǐshì zhàn zài nàlǐ shénme dōu bú zuò.

"Zhège hóuzi de tóu xiàng yíkuài shítou!" tāmen zhōng de yí gè qiángdào shuō.

"Wǒ de péngyǒu," Sūn Wùkōng huídá shuō, "nǐmen yídìng dōu lèi le. Xiànzài shì shíhòu ná chū wǒ de zhēn qù duànliàn yíxià le!"

"Shénme, nǐ shì zhēnjiǔ shī ma?" Yí gè qiángdào wèn. Sūn Wùkōng cóng tā de ěrduǒ lǐ ná chū yì gēn zhēn, hěn kuài biàn dào yì gēn dà bàng. "Xiànzài ràng wǒ shì shì zhè gēn bàng!" tā hǎn

但是每個人的感覺都不一樣，有喜、有怒、有愛、有思、有欲、有憂[63]。但是他們都用刀砍孫悟空，想要殺死他，他們用刀把孫悟空的頭打了七、八十次，孫悟空衹是站在那裡什麼都不做。

“這個猴子的頭像一塊石頭！”他們中的一個強盜說。

“我的朋友，”孫悟空迴答說，“你們一定都累了。現在是時候拿出我的針去鍛煉一下了！”

“什麼，你是針灸師[64]嗎？”一個強盜問。孫悟空從他的耳朵裡拿出一根針，很快變到一根大棒。“現在讓我試試這根棒！”他喊

---

63 憂　yōu – worry
64 針灸師　zhēnjiǔ shī – acupuncturist

孫悟空衹是站在那裡什麼都不做。

Sūn Wùkōng zhǐshì zhàn zài nàlǐ shénme dōu bú zuò.

Sun Wukong just stood there and did nothing.

dào. Liù gè qiángdào kàn dào zhè gēn bàng hòu, dōu xiǎng yào táopǎo, dànshì Sūn Wùkōng gēnzhe tāmen, bǎ tāmen dōu shā le. Ránhòu tā kànzhe Sānzàng, xiàozhe shuō, “Hǎo le, wǒ de shīfu, wǒmen xiànzài kěyǐ zǒu le. Qiángdào dōu sǐ le.”

Sānzàng hěn bù gāoxìng. “Nǐ wèishénme nàyàng zuò?” tā wèn. “Nàxiē rén shì qiángdào, dàn nǐ búyòng shā sǐ tāmen, nǐ yīnggāi ràng tāmen líkāi. Rúguǒ nǐ zhèyàng róngyì de qù shārén, nǐ zěnme néng chéngwéi yì míng héshàng ne? Héshàng shì hěn xiǎoxīn de bú qù shānghài měi yí gè shēngwù de!”

Sūn Wùkōng shuō, “Shīfu, rúguǒ wǒ bù shā sǐ tāmen, tāmen huì shā le nǐ de.”

“Wǒ shì yí gè héshàng, wǒ jiùshì sǐ yě búyào shārén. Rú

道。六個強盜看到這根棒後，都想要逃跑[65]，但是孫悟空跟著他們，把他們都殺了。然後他看著三藏，笑著說，“好了，我的師父，我們現在可以走了。強盜都死了。”

三藏很不高興。”你為什麼那樣做？”他問。“那些人是強盜，但你不用殺死他們，你應該讓他們離開。如果你這樣容易地去殺人，你怎麼能成為一名和尚呢？和尚是很小心地不去傷害每一個生物的！”

孫悟空說，“師父，如果我不殺死他們，他們會殺了你的。”

“我是一個和尚，我就是死也不要殺人。如

[65] 逃跑 táopǎo – to escape

guǒ wǒ sǐ le, zhǐ sǐ le yígèrén, dànshì nǐ yǐjīng ràng liù gè rén dōu sǐ le, nà tài bù hǎo le."

"Dāng wǒ háishì Huāguǒ Shān shàng de hóu wáng de shíhòu, wǒ bù zhīdào shā le duōshǎo rén, zhèng yīnwèi nàyàng wǒ cái chéngwéi Qí Tiān Dà Shèng."

"Zhè jiùshì wèishénme nǐ bìxū zài shānxià zhù wǔbǎi nián! Nǐ zài tiānshàng rénjiān zhǎo le hěn dà de máfan. Dànshì xiànzài nǐ shì yí gè héshàng, nǐ bùnéng zài zuò zhèxiē shì le!"

Sūn Wùkōng de xīnlǐ dōu shì huǒ, tā hǎn dào, "Nà nǐ rènwéi wǒ shì bùnéng dāng héshàng le? Nàme wǒ líkāi, bú huì zài huílái le." Tā tiào le qǐlái, wǎng dōng fēi qù.

Sānzàng méiyǒu bànfǎ, tā hěn shāngxīn de dàizhe tā de mǎ, zìjǐ yí gè rén kāishǐ xiàng xī zǒu. Tā zǒu le jǐ lǐ lù, kàn dào

果我死了，祇死了一個人，但是你已經讓六個人都死了，那太不好了。”

“當我還是花果山上的猴王的時候，我不知道殺了多少人，正因為那樣我才成為齊天大聖。”

“這就是為什麼你必須在山下住五百年！你在天上人間找了很大的麻煩。但是現在你是一個和尚，你不能再做這些事了！”

孫悟空的心裡都是火，他喊道，“那你認為我是不能當和尚了？那麼我離開，不會再回來了。”他跳了起來，往東飛去。

三藏沒有辦法，他很傷心地帶著他的馬，自己一個人開始向西走。他走了幾里路，看到

yí wèi niánjì dà de nǚrén zhàn zài lù zhōng, tā názhe yí jiàn sī yī hé yì dǐng xiùhuā màozi.

"Nǐ cóng nǎlǐ lái?" nàgè nǚrén wèn.

Sānzàng jūgōng shuō, "Nǐ de háizi shì Táng huángdì sòng wǎng xīfāng qù zhǎo fófǎ de, ránhòu bǎ fófǎ dài huí dōngfāng."

"Xīfāng de fózǔ zhù zài Yìndù de Dà Léi Yīn miào lǐ, lí zhèlǐ yǒu shí wàn bāqiān lǐ lù. Nǐ zìjǐ yí gè rén zěnme kěnéng zǒu dào nàlǐ ne?"

Sānzàng bù gāoxìng de shuō, "A, wǒ běnlái shì yǒu yí gè túdì lái bāngzhù wǒ de, dànshì tā shì yí gè zhǎo máfan de rén, tā yǐjīng zǒu le."

一位年紀大的女人站在路中，她拿著一件絲衣和一頂繡花帽子。

“你從哪裡來？”那個女人問。

三藏鞠躬說，“你的孩子是唐皇帝送往西方去找佛法的，然後把佛法帶回東方。”

“西方的佛祖住在印度[66]的大雷音[67]廟裡，離這裡有十萬八千里路。你自己一個人怎麼可能走到那裡呢？”

三藏不高興地說，“啊，我本來是有一個徒弟來幫助我的，但是他是一個找麻煩的人，他已經走了。”

---

[66] 印度 Yìndù – India
[67] 大雷音 Dà Léi Yīn – Great Thunderclap Temple

"Wǒ kěyǐ bāng nǐ. Qǐng názhe zhè jiàn sī yī hé zhè dǐng màozi. Ràng wǒ jiāo nǐ yí gè shénqí de mó yǔ, jiàozuò Dìng Xīn Zhēn Yǔ. Jì zhù zhège mó yǔ lǐ de měi yí gè zì, búyào gàosù biérén. Dāng nǐ zài yícì kàn dào nǐ túdì de shíhòu, gěi tā sī yī hé màozi. Rúguǒ tā gěi nǐ zhǎo máfan, nǐ jiù qīng qīng de duì nǐ zìjǐ shuō mó yǔ, nǐ de túdì jiù yídìng huì tīng nǐ dehuà!"

Shuō wán zhè huà yǐhòu, nàgè nǚrén jiù xiàngshàng fēi qǐlái, wǎng dōng zǒu le. Sānzàng rèn chū nàgè nǚrén shì Guānyīn, tā zài yícì bāngzhù le tā. Tā zhuā qǐ yìdiǎn tǔ xiàng dōngfāng rēng qù, ránhòu jūgōng, shuō le gǎnxiè dehuà. Tā xiàng xī zǒu qù, tā yìbiān zǒu yìbiān liànxí Dìng Xīn Zhēn Yǔ.

Sūn Wùkōng zěnme yàng le ne? Tā yòng Jīndǒu Yún fēi yuǎn le, qù jiàn le yí wèi lǎo péngyǒu, dōnghǎi de lóngwáng. Lóngwáng cóng wánggōng

“我可以幫你。請拿著這件絲衣和這頂帽子。讓我教你一個神奇的魔語，叫做定心真語[68]。記住這個魔語裡的每一個字，不要告訴別人。當你再一次看到你徒弟的時候，給他絲衣和帽子。如果他給你找麻煩，你就輕輕地對你自己說魔語，你的徒弟就一定會聽你的話！”

說完這話以後，那個女人就向上飛起來，往東走了。三藏認出那個女人是觀音，她再一次幫助了他。他抓起一點土向東方扔去，然後鞠躬，說了感謝的話。他向西走去，他一邊走一邊練習定心真語。

孫悟空怎麼樣了呢？他用筋斗雲飛遠了，去見了一位老朋友，東海的龍王。龍王從王宮

---

[68] 定心真語 Dìng Zīn Zhēn Yǔ – Words to Calm the Mind

lǐ chūlái huānyíng Sūn Wùkōng, tā shuō, "Nǐ hǎo, wǒ de lǎo péngyǒu, wǒ hěn gāoxìng kàn dào nǐ bú zhù zài shānxià le! Nǐ yǒu méiyǒu huí dào Huāguǒ Shān de dòng lǐ zài yícì chéngwéi hóu wáng ne? Háishì nǐ yòu qù tiāngōng lǐ zhǎo máfan le?"

"Wǒ xiǎng huí jiā," Sūn Wùkōng huídá shuō, "dànshì wǒ yù dào le fózǔ dàshī Guānyīn, tā yào ràng wǒ chéngwéi fú tú, bāngzhù Táng sēng zhǎo yìxiē shèng shū."

"Hǎo a! Dànshì nǐ wèishénme huì zài dōngfāng, bú qù xīfāng ne?"

Sūn Wùkōng xiàozhe shuō, "A, nàgè Táng sēng duì zhège shìjiè shénme dōu bù zhīdào! Wǒmen zài lùshàng yù dào le yìxiē qiángdào, tāmen gěi le wǒmen yìdiǎn xiǎo máfan, suǒyǐ wǒ dāngrán shā le tāmen. Nǐ juédé nàgè héshàng huì hěn gāoxìng ba, dànshì, bù, tā mà wǒ, shuō wǒ zuò cuò shì le. Lǎo hóuzi bú

裡出來歡迎孫悟空，他說，“你好，我的老朋友，我很高興看到你不住在山下了！你有沒有回到花果山的洞裡再一次成為猴王呢？還是你又去天宮裡找麻煩了？”

“我想回家，”孫悟空迴答說，“但是我遇到了佛祖大師觀音，她要讓我成為佛徒，幫助唐僧找一些聖書。”

“好啊！但是你為什麼會在東方、不去西方呢？”

孫悟空笑著說，“啊，那個唐僧對這個世界什麼都不知道！我們在路上遇到了一些強盜，他們給了我們一點小麻煩，所以我當然殺了他們。你覺得那個和尚會很高興吧，但是，不，他罵我，說我做錯事了。老猴子不

huì liú xiàlái tīng nàxiē huà de, suǒyǐ wǒ bǎ tā liú zài nàlǐ. Wǒ zhèng yào huí Huāguǒ Shān ne, dànshì wǒ juédìng xiān lái kàn kàn nǐ, hē diǎn chá."

Lóngwáng shénme yě méiyǒu shuō, liǎng gè rén ānjìng de zuòzhe hē chá. Guò le yīhuǐ'er, lóngwáng shuō, "Yǐqián yǒu yí gè jiào Huáng de shèngrén hé yí gè jiào Zhāng de niánqīng rén. Yǒu yìtiān, tāmen liǎng gè zuò zài yízuò qiáo shàng, Huáng de yì zhī xié diào zài le xiàmiàn de hé lǐ, Zhāng mǎshàng bǎ xiézi cóng hé lǐ ná chūlái, gěi le Huáng, Huáng shénme yě méiyǒu shuō, dànshì yòu bǎ xié rēng jìn le hé lǐ, Zhāng yòu bǎ tā ná huílái gěi le Huáng, dì sān cì, Huáng bǎ xié rēng jìn hé lǐ, dì sān cì, Zhāng bǎ xié huán gěi le tā, měi yícì, Zhāng dōu méiyǒu shēngqì. Tā zhǐshì zuò. Suǒyǐ, Huáng ràng Zhāng chéngwéi tā de xuéshēng, jǐ nián yǐhòu, Zhāng juéwù le."

會留下來聽那些話的，所以我把他留在那裡。我正要回花果山呢，但是我決定先來看看你，喝點茶。”

龍王什麼也沒有說，兩個人安靜地坐著喝茶。過了一會兒，龍王說，“以前有一個叫黃[69]的聖人和一個叫張[70]的年輕人。有一天，他們兩個坐在一座橋上，黃的一隻鞋掉在了下面的河裡，張馬上把鞋子從河裡拿出來，給了黃，黃什麼也沒有說，但是又把鞋扔進了河裡，張又把它拿回來給了黃，第三次，黃把鞋扔進河裡，第三次，張把鞋還給了他，每一次，張都沒有生氣。他衹是做。所以，黃讓張成為他的學生，幾年以後，張覺悟了。”

---

[69] 黃 Huáng – Huang (a name)
[70] 張 Zhāng – Zhang (a name)

Lóngwáng jìxù shuō, “Wǒ de péngyǒu, rúguǒ nǐ bù huíqù bāngzhù Táng sēng, tīng tā de huà, nà nǐ jiù búshì yí gè zhēn de shénxiān, nǐ yìzhí dōu bú huì juéwù. Búyào ràng xiànzài de shūfu lái juédìng nǐ yào zěnme zuò!”

Sūn Wùkōng ānjìng de zuò le hěnjiǔ. Ránhòu tā tiào le qǐlái, shuō, “Bié shuō le! Wǒ yào huí dào Táng sēng nàlǐ!” Tā yòng Jīndǒu Yún huí dào le Sānzàng nàlǐ.

Tā kàn dào nàgè héshàng zuò zài lù biān, tā shuō, “Shīfu, nǐ wèishénme zuò zài nàlǐ?”

Sānzàng shuō, “Nǐ bǎ wǒ yí gè rén liú zài zhèlǐ. Duì nǐ lái shuō yì diǎndiǎn de shíjiān lǐ fēi jǐ qiān lǐ lù hěn róngyì, dànshì wǒ zhǐshì yí gè wúyòng de héshàng, wǒ zhǐ néng zǒulù, wǒ hàipà wǎng qián zǒu, yě hàipà wǎng hòu zǒu, suǒyǐ wǒ zhǐ néng zài zhèlǐ děngzhe nǐ.”

龍王繼續說，“我的朋友，如果你不回去幫助唐僧，聽他的話，那你就不是一個真的神仙，你一直都不會覺悟。不要讓現在的舒服來決定你要怎麼做！”

孫悟空安靜地坐了很久。然後他跳了起來，說，“別說了！我要回到唐僧那裡！”他用筋斗雲回到了三藏那裡。

他看到那個和尚坐在路邊，他說，“師父，你為什麼坐在那裡？”

三藏說，“你把我一個人留在這裡。對你來說一點點的時間裡飛幾千里路很容易，但是我衹是一個無用的和尚，我衹能走路，我害怕往前走，也害怕往後走，所以我衹能在這裡等著你。”

Sūn Wùkōng méiyǒu jiē Sānzàng dehuà, tā zhǐshì shuō, "Shīfu, nǐ è ma?"

"Shì de, wǒ de xínglǐ lǐ yǒu yìxiē shuǐguǒ."

Sūn Wùkōng dǎkāi xínglǐ ná le shuǐguǒ, tā kàn dào le piàoliang de sī yī hé xiùhuā mào. "Nǐ cóng dōngfāng dài lái zhèxiē dōngxi?" tā wèn.

"A, nàxiē jiù dōngxi, shì de, wǒ niánqīng de shíhòu chuān de, rúguǒ nǐ xǐhuān nǐ kěyǐ chuān."

Dāng Sānzàng kàn dào Sūn Wùkōng shēnshàng de sī yī hé tóu shàng de màozi, mǎshàng shuō le nàgè mó yǔ, Sūn Wùkōng shuāngshǒu zhuā zhù le zìjǐ de tóu, kū hǎnzhe, "A, tóu tòng, tóu tòng!" Tā dǎo zài dìshàng, tā tái qǐtóu, "Shīfu, nǐ duì wǒ zuò le mófǎ le ma?"

孫悟空沒有接三藏的話，他衹是說，“師父，你餓嗎？”

“是的，我的行李裡有一些水果。”

孫悟空打開行李拿了水果，他看到了漂亮的絲衣和繡花帽。”你從東方帶來這些東西？”他問。

“啊，那些舊東西，是的，我年輕的時候穿的，如果你喜歡你可以穿。”

當三藏看到孫悟空身上的絲衣和頭上的帽子，馬上說了那個魔語，孫悟空雙手抓住了自己的頭，哭喊著，“啊，頭痛，頭痛！”他倒在地上，他抬起頭，“師父，你對我做了魔法了嗎？”

當三藏看到孫悟空身上的絲衣和頭上的帽子, 馬上說了那個魔語。

Dāng Sānzàng kàn dào Sūn Wùkōng shēnshang de sī yī hé tóu shàng de màozi, mǎshàng shuōle nàgè mó yǔ.

When Sanzang saw the shirt and hat on Sun Wukong, he spoke the magic spell.

"Xiànzài nǐ huì tīng wǒ dehuà ma?" Sānzàng wèn.

"Shì de, wǒ huì de!" Sūn Wùkōng huídá, dànshì tā xīnlǐ hěn bú yuànyì. Dāng Sānzàng bù shuō mó yǔ le, Sūn Wùkōng mǎshàng jiù bǎ xiǎo xiǎo de Jīn Gū Bàng cóng ěrduǒ lǐ ná chūlái, bǎ tā biàn chéng le yí gè dà wǔqì, zài Sānzàng de tóu shàng huī le yíxià, Sānzàng hěn kuài zǒu kāi, yòu shuō le sāncì mó yǔ, Sūn Wùkōng rēng diào bàng, yòu dǎo zài dì, bàozhe tóu.

"Nǐ zhè huài hóuzi!" Sānzàng hǎn dào, "Nàgè shíhòu nǐ zǒu le, wǒ zìjǐ yí gè rén zài zhèlǐ, hòulái Guānyīn lái le, tā xīwàng nǐ chéngwéi wǒ de túdì, bāngzhù wǒ xīyóu, dànshì tā zhīdào nǐ bú huì tīng wǒ de, suǒyǐ tā gěi le wǒ zhè jiàn sī yī hé zhè dǐng màozi, tā jiāo le wǒ zhège mó yǔ. Xiànzài nǐ huì tīng wǒ de ma?"

"現在你會聽我的話嗎？" 三藏問。

"是的，我會的！" 孫悟空迴答，但是他心裡很不願意。當三藏不說魔語了，孫悟空馬上就把小小的金箍棒從耳朵裡拿出來，把它變成了一個大武器，在三藏的頭上揮了一下，三藏很快走開[71]，又說了三次魔語，孫悟空扔掉棒，又倒在地，抱著頭。

"你這壞猴子！" 三藏喊道，"那個時候你走了，我自己一個人在這裡，後來觀音來了，她希望你成為我的徒弟，幫助我西遊，但是她知道你不會聽我的，所以她給了我這件絲衣和這頂帽子，她教了我這個魔語。現在你會聽我的嗎？"

---

[71] 走開　　zǒu kāi – go away

Sūn Wùkōng méiyǒu bànfǎ, tā guì xià shuō, "Shīfu, wǒ méiyǒu qítā de bànfǎ, wǒ huì tīng nǐ de, gēnzhe nǐ dào xīfāng qù, wǒ bú huì xiǎng zài líkāi nǐ le, dànshì nǐ bùnéng bǎ zhège mó yǔ dàngchéng yí gè yóuxì lái hé wǒ wán!"

"Hǎo de," Sānzàng shuō, "wǒmen jìxù zǒu ba." Tā zhàn qǐlái, bǎ yīfu shàng de tǔ pāi diào.

Sūn Wùkōng ná qǐ xínglǐ, tāmen yòu jìxù tāmen de xīyóu.

孫悟空沒有辦法，他跪下說，“師父，我沒有其他的辦法，我會聽你的，跟著你到西方去，我不會想再離開你了，但是你不能把這個魔語當成一個遊戲來和我玩！”

“好的，”三藏說，“我們繼續走吧。”他站起來，把衣服上的土拍掉。

孙悟空拿起行李，他們又继续他們的西遊。

THE JOURNEY BEGINS

My dear child, it is bedtime again! Do you want to hear another story tonight?

You remember that last night I told you about the emperor Taizong, who journeyed to the Underworld and returned back to the land of the living. While he was in the Underworld, he met a group of hungry ghosts. He promised to help the ghosts so that they could enter the Wheel of Rebirth and be born again. To do this, he held a Great Mass of Land and Water for the souls of the hungry ghosts.

Taizong invited all the Buddhist monks in Chang'an to come to the palace, and he asked them to select one person to lead the Great Mass. The ministers discussed this matter, then they came to Taizong and said, "Your Highness, we have selected a monk to lead the Great Mass. You should already know him!

> In a previous life, he was a student of the Buddha
> He did not listen to the Buddha, so he had to suffer
> His father, a zhuangyuan, was killed by a bandit
> His mother was the beautiful daughter of a prime minister
> The young monk was born but was in great danger
> His mother put him in a river, he floated on the water
> Finally he arrived at Gold Mountain Temple
> He lived there for eighteen years
> Then he learned the story of his birth
> He asked his maternal grandfather to avenge his father
> The grandfather's army killed the bandit

Then Your Majesty offered the young monk a job
But the monk chose to live a life of study
In a previous life his name was Golden Cicada
When he was young he was called River Flow
Now you know his name as Xuanzang."

Emperor Taizong remembered Xuanzang, and asked him to lead the Great Mass. It lasted for 49 days, and 1,200 Buddhist monks were there.

During the Great Mass, the Buddhist teacher Guanyin was staying at a small temple in Chang'an. She was searching for someone to journey to the West to get Buddhist scriptures and bring them to China. When she heard that Emperor Taizong had selected Xuanzang to lead the Great Mass, she decided that she would also select this young monk to journey to the West.

So Guanyin changed into an ugly old monk. She went out into the street and called out, "I have an embroidered cassock and a priest's staff for sale. Just seven thousand pieces of gold!" Just then, the Prime Minister arrived, riding on his horse. He liked the cassock and staff, and he recognized Guanyin as a great Buddhist teacher. So he brought Guanyin to meet Emperor Taizong.

Taizong looked at the cassock and staff, and asked Guanyin, "These two items are very expensive. Why do you want so much money for them?"

Guanyin replied, "You cannot find another cassock like this anywhere in this world. It is made of silk from ice silkworms. It is woven by immortal women and girls. It shines with the light of heaven, and lights up the whole human world. But not everyone can wear it. If you are a good person, you can wear this cassock; nobody can hurt you and you will not suffer in the underworld. But if you not a good person, forget it, you will not even see this cassock!"

"And the staff?" asked Taizong.

"Ah, the staff! It has nine rings made of iron and copper. It has gone through the gates of Heaven and has broken down the gates of Hell. It cannot be touched by the dirt of this world. If you hold it you will not grow old. It will lead your holy monk to the tops of mountains!"

"Wonderful!" cried Taizong. "I will buy these and give them to Xuanzang."

"If this young monk is a good man, then I will not take your money. Please give the cassock and staff to him." And before Taizong could say anything to her, Guanyin handed the cassock and staff to Taizong, left the palace and returned to her temple in Chang'an.

Taizong summoned Xuanzang to the palace and gave him the cassock and staff. "Are you ready to travel to the West?" asked Taizong. Xuanzang bowed low and replied, "Although this useless monk has no talent, he is willing to do the work of a cow and a horse. I will bring back the wisdom of the Buddha, so that our empire will be strong and last forever!"

Taizong raised up Xuanzang to a standing position, and said to him, "If you are ready to go on this journey and are not frightened, then I will become your brother." Then Taizong bowed towards Xuanzang four times, calling him "younger brother" and "holy monk".

Xuanzang said, "Your Majesty, this worthless monk cannot take such honor from you! However, I will go to the West and bring back the Buddha's wisdom. If I cannot finish this journey, I will die and I will fall into the underworld, never to return."

Then Xuanzang went to the temple and said to the monks, "My brothers, wait for me. Watch the tree near the temple gate. If its branches point to the East, you will know that I am coming back soon. If after seven years the branches don't point to the East, then you will know that I will not return."

The next morning, the Emperor's ministers wrote a paper that gave Xuanzang permission to go anywhere in the Tang empire. Taizong gave the paper to Xuanzang. He also gave him a beautiful horse, a golden begging bowl, and two servants to help him during the journey.

They walked together to the city gate. Taizong picked up two cups of wine, and handed one to Xuanzang. He asked Xuanzang, "As a child you were called Flowing River, and your name now is Xuanzang. But do you have a nickname?"

Xuanzang replied, "This worthless monk has left his

family. He has no nickname."

"The teacher Guanyin said yesterday that there are three rooms full of books that you will be searching for. Please take that as a nickname, and call yourself Sanzang. Now drink with me!"

"I am very sorry, Your Majesty," said Xuanzang, who was now called Sanzang, "but monks cannot drink wine. I have never had wine in my entire life!"

Taizong replied, "My brother, today is not like other days, and this journey is special. Please drink this one cup of wine, with our good wishes." Sanzang had to agree, so he picked up the cup. But before he could drink it, the Emperor picked up a handful of dirt and dropped a little of it in the cup of wine. Sanzang did not understand. He just stared at the cup with the dirt in it, then he looked at Taizong.

"Dear brother," said Taizong, "how long will you be gone?"

"I hope to return in three years."

"The years will be long, the mountains will be high, and the road will be long. Remember to love this dirt from your home more than ten thousand pieces of foreign gold!"

Then Sanzang understood. He thanked the Emperor again, and drank the wine. Then he mounted his horse and rode out the gate, accompanied by his two servants. Taizong returned to the palace.

Sanzang and the servants rode westward for several days. They arrived at a temple, where the monks sat down with Sanzang to discuss Buddhism. They talked into the night, and the monks gave the travelers a vegetarian meal and a place to sleep. The next day they left, and traveled for several more days until they arrived at the city of Gongzhou and rested there for one night.

Several days after that, they arrived at the district of Hezhou, at the western border of the Tang Empire. They rested at a temple there. In the morning Sanzang arose when the cock crowed around the time of the fourth watch. It was still dark, but the moon was bright in the sky and there was frost on the ground.

They walked by the light of the moon for a few miles. The road was in very bad condition, and the travelers had to leave the road and walk through some bushes. Suddenly they all fell into a deep pit. They heard voices shouting, "Seize them! Seize them!" Fifty ogres seized Sanzang and his servants and pulled them up out of the pit.

Sanzang looked up and saw a terrifying monster sitting on a high throne. He was huge. His eyes were like lightning and his voice was like thunder. His teeth were too large for his mouth, and looked like long knives. The Monster King shouted, "Tie them up and prepare to cook them for dinner!"

Just then, an ogre ran up to the Monster King and said, "The Bear Mountain Lord and the Steer Hermit have arrived!" Two very large men, the Bear Mountain Lord and the Steer Hermit, walked into the camp. The Monster King smiled and said, "Hello, how are you two gentlemen today?"

"I'm fine, there's nothing I have to do," said the Bear Mountain Lord.

"I'm just getting by," added the Steer Hermit.

Just then, one of Sanzang's servants began to cry loudly, because his ropes were so tight. The Bear Mountain Lord looked at him. "These three look tasty," he said to the Monster King, "but let's not eat all of them at once. We'll eat two of them now, and save one for breakfast." The Monster King agreed, and they killed and ate both of the servants. Sanzang almost died from fear.

The three monsters ate, drank wine, and talked all night. When it was early morning, the Bear Mountain Lord and Steer Hermit thanked the Monster King for the good dinner, and they left. The Monster King was feeling tired and went to bed. The red sun climbed into the sky. Sanzang was alone but he could not move, because he was still tied tightly with ropes.

Suddenly an old man arrived, holding a staff in his hand. He walked up to Sanzang and waved his staff. The ropes all snapped and fell off. Sanzang fell on the ground and said, "I thank you for helping this poor monk!"

"Get up," replied the old man. "Have you lost anything?"

"I have lost both of my servants. Last night we fell into a pit and were captured by the Monster King and his two friends the Bear Mountain Lord and the Steer Hermit, and a lot of ogres. They ate my servants for dinner! And I don't know where my horse or baggage are."

"Isn't that your horse over there?" asked the old man, pointing with his staff.

Sanzang looked, and recognized his horse and his baggage. He walked over to the horse and started putting his baggage on his horse. He said to the old man, "Tell me, what is this place, and who were those creatures?"

"You are in the land of spirits," replied the old man. "That Monster King was really a tiger spirit. The Bear Mountain Lord was a bear spirit, and the Steer Hermit was a bull spirit. The ogres are all spirits of the mountains, trees, and animals. Because of your pure nature, they could not eat you. Now follow me and I will lead you out of here."

Together they walked back to the road. Sanzang turned to thank the old man. Just then a gentle breeze came, and the old man rose up, riding a white crane with a red head. As they flew away, a slip of paper fell to the ground.

Sanzang picked it up and read, "I am the Bright Star of Venus, come to help you. Others will also help you. Remember, if you have trouble, it won't be coming from Heaven!"

Sanzang bowed to the sky and thanked the Bright Star of Venus for helping him. Then he mounted his tired horse, and together they rode slowly westward. They saw some animals in the forest, but no other people. They were alone, cold, tired and hungry.

They rode all day. Late in the afternoon, he saw two huge tigers on the road ahead of him. He looked behind him and saw two huge snakes. On his left were more animals and on his right were monsters. Sanzang knew he could not fight all these creatures. Then his horse lay down on the ground, too tired to stand. Sanzang knew he was going to die right then and there. But suddenly all the creatures ran away. Sanzang saw a big man walking towards him on the road. He had a steel trident in his hand, and a bow and arrows hung at his waist.

"Great king, help me!" cried Sanzang, kneeling in the road.

"Don't be afraid," replied the big man. "I live in these mountains. My name is Boqin. I was looking for something to eat. I hope I did not frighten you!"

"This poor monk was sent by His Majesty the Tang Emperor, to seek Buddhist scriptures in the West. I was surrounded by tigers and other animals, and I thought I was going to be killed. But the animals saw you and ran away. Thank you!"

"Yes, the animals know me, and so they are afraid of me. If you were sent by the Tang Emperor then you are of this place, for this is still part of the Tang empire. You and I are both of the same nation. Come with me. You can rest your horse at my house, and you can continue your journey in the morning."

They walked together down the road. Suddenly they heard the sound of the wind. "Don't move," said Boqin, "a mountain cat is nearby. I will take him home and we can have a good meal tonight!" Boqin walked forward, holding his trident in his hands. A great tiger roared and jumped towards him. Boqin raised his trident and roared back at the tiger. Sanzang lay down on the ground, his hands over his head, terrified.

Boqin and the tiger fought for over two hours. Finally the tiger became tired, and Boqin killed it. Boqin grabbed the dead tiger by the ear and began dragging it along the road. Sanzang said, "You are truly a god of the mountain!"

They arrived at a small mountain village. The village had white buildings, narrow roads, and several stone bridges over small rivers. There were many large trees, and a light breeze blew through the streets. Yellow autumn leaves were falling to the ground. White clouds drifted over the distant mountains.

They entered Boqin's house. Boqin threw down the tiger on the floor and shouted, "Little ones, where are you?" From the back of the house came an old woman, a middle-aged woman, and four ugly servants. Boqin introduced them to Sanzang, saying, "This is my mother, this is my wife, and these are my four servants."

Then Boqin said to his mother, "Mother, this monk has been sent by the Emperor Taizong to journey to the West and bring Buddhist scriptures to the Tang empire. Just now your son met him in the mountains. Since we are both of the Tang empire, I invited him to stay tonight and rest in our home."

"You are welcome in our home!" said the old woman. "You have arrived at a very good time. Tomorrow it will be one year since my late husband's death. Would you please recite some words from the holy books for us?"

Sanzang agreed. He drank tea with Boqin and his wife and mother. Soon the servants brought out steaming plates of cooked tiger meat.

"Oh dear," said Sanzang. "I am so sorry, but I cannot eat your wonderful food. I have been a monk since I was born and I have never eaten meat."

Boqin thought about this for a while. "Well, for many years this family has lived by eating meat. We don't have any vegetables in the house. And even our cooking pots and dishes have been used for many years for meat. I must beg your pardon, but I don't see how we can give you a vegetarian meal."

"That is no problem," replied Sanzang. "I can easily go several days without eating anything at all, and for me, that is better than eating meat. Please, enjoy your dinner!"

"Oh, stop this!" cried Boqin's mother. "You are our guest. Of course we would not let you stay here without giving you something that you can eat. I will prepare a vegetarian dish for you." Then she went into the kitchen with Boqin's wife. They heated up a cooking pan until all the grease burned off. Then they washed it again and again, then they put it on the stove and added water, leaves, vegetables, and rice, to make a vegetarian soup.

"Please eat this," she said to Sanzang, "it is the cleanest food that we have ever prepared."

Sanzang ate the vegetarian soup. Boqin went into another room and ate a very large plate of tiger meat, snake meat, and deer meat.

After dinner, Sanzang and Boqin took a walk outside. They sat in the garden and talked for a while. As they sat, several deer walked by them. "These deer are not afraid of you!" said Sanzang.

"In your city of Chang'an, people store up wealth in case of future hard times. In farms, the families store up grain for the same reason. Here, we keep these animals."

That night, the soul of Boqin's father came in a dream to Boqin, and also came to his mother and his wife. In each dream, he said the same thing: "For the past year I have suffered in the underworld because of things that I did in the land of the living. Yama, the King of the Underworld, would not allow me to leave. But the holy monk's prayers have changed all that. Now Yama will send me to the rich land of China, where I will be born again into a wealthy family. You all must thank the holy monk and take care of him!"

In the morning, the family went to Sanzang and thanked him again and again for helping their dead relative. They offered him money, but Sanzang only said to Boqin, "I cannot take your money. But would you please accompany me on the next part of my journey?"

So that same day, Boqin and Sanzang and several servants set out on the road, traveling westward over the beautiful mountains. After several hours of walking, they came to a particularly large mountain. They climbed halfway up. Then Boqin stopped and said, "Holy monk, please go on yourself. I cannot go any further. This is the Mountain of the Two Frontiers. The eastern side is in the great Tang empire, but the western side belongs to the Tartars. I cannot cross the border. You must go by yourself."

Sanzang was very unhappy, and he begged Boqin to change his mind. Just then, a thunderous voice came from under the mountain, shouting, "My master has come! My master has come!" Boqin and Sanzang were both terrified. But the servants just laughed and said, "It must be the old monkey in the stone box underneath the mountain who is shouting."

Boqin nodded his head and said, "Yes, you are right, it must be him."

"Who is this old monkey?" asked Sanzang.

"It is a very old story," said Boqin. "This mountain is called the Mountain of Two Frontiers because the Tang Emperor conquered this region. But long before that, it was called Five Finger Mountain. It is said that centuries ago this mountain fell from Heaven, with a monkey inside it. This monkey was not afraid of heat or cold, and was immortal. He was imprisoned by the spirits of the earth, who fed him iron balls when he was hungry, and liquid copper when he was thirsty. We don't need to be afraid. Let's go down the mountain and take a look."

Sanzang agreed, and they walked back down the mountain. They soon found a stone box, and inside the box was a monkey. The monkey, of course, was Sun Wukong. He had been in the stone box for five hundred years, and now he was filthy and covered from head to foot with dirt and grass.

Sun Wukong pushed his head out of the box, waved his arms wildly, and cried, "Master, why have you taken so long to arrive? Welcome! Welcome! Get me out of here, and I will protect you on your way to the West!"

Sanzang did not move, but Boqin walked right up to the monkey and pulled away some of the grass and dirt that was on his face. He asked Sun Wukong, "Now I can see you. What do you have to say?"

"I have nothing to say to you," said Sun Wukong coldly. "But ask my Master to come here. I have a question for him."

Sanzang came over. "What is your question?" he asked.

"Did the great Emperor in the East send you to go seek holy books in the West?"

"Yes."

"I am Sun Wukong, the Great Sage Equal to Heaven. Five hundred years ago, I caused a lot of trouble in Heaven and earth, so the Buddha himself put me in this box. Recently I met the Buddhist teacher Guanyin, who was looking for a holy monk to journey to the West. I asked her to help me. She told me to obey the teachings of the Buddha and to protect the holy monk. She said if I did that, nothing bad would happen to me. So I have been waiting for you to come. Let me protect you in your travels, and let me be your disciple!"

Sanzang said, "I would be happy to have you as my disciple. But how can I let you out of this stone box?"

Sun Wukong said, "On top of this mountain is a tag with words written by the Buddha. Go there and pick up the tag. Then I can come out."

Sanzang and Boqin climbed to the top of the tall mountain. Standing on the top, they could see for hundreds of miles in all directions. Ten thousand shafts of golden light arose from a huge stone. On top of the stone was a small tag with the golden letters, "om mani padme hum".

Sanzang knelt down in front of the stone. Closing his eyes, he spoke to the Buddha, saying, "You told your disciple to seek the holy scriptures. If you want this monkey to help me and be my disciple, then let me lift up the tag. But if he is only a cold-blooded monster who wants to hurt me, then do not let me lift up the tag." Then he reached out and pulled on the tag. It came up easily.

Immediately a breeze came and blew the tag out of his hand. He heard a voice saying, "I am the guardian of the Great Sage. Today his time inside the stone box is finished, and my job is done. Now I will return this tag to the Buddha."

Sanzang and Boqin walked down the mountain and returned to the stone box. They said to Sun Wukong, "The tag has been lifted. You can come out now."

Sun Wukong said happily, "Thank you Master! Now please walk away from here, so I can come out. Don't be afraid!"

Sanzang and Boqin walked until they were five miles away. But the monkey shouted, "Keep going, keep going!" They kept walking until they were completely off the mountain. They heard a thunderous sound, like the mountain itself was breaking in half. Suddenly the monkey was standing in front of Sanzang, completely naked.

He knelt down and cried, "Master, I'm out!" and bowed four times to Sanzang. Then he turned to Boqin and said, "I thank Elder Brother for helping my master to come here. Also, thank you for removing the dirt and grass from my face." Then he began preparing Sanzang's baggage.

Boqin said goodbye to Sanzang and Sun Wukong, and returned home. Sanzang mounted his horse, and Sun Wukong picked up the baggage. They started walking westward.

As they passed the Mountain of Two Frontiers, they saw another tiger standing in the road. Again, Sanzang became afraid, but Sun Wukong said, "Don't worry, Master. This tiger wants to give me some clothes!"

Sun Wukong took a tiny needle from his ear, and it quickly grew into a long iron rod, as thick as a rice bowl. He said to Sanzang, "Master, this is my Golden Hoop Rod. I have not used this for five hundred years. I think it needs some exercise!" Then he walked up to the tiger, swung the Golden Hoop Rod at its head, and instantly killed the tiger.

Then he took some hairs from his head and blew on them. The hairs changed into a long knife. Sun Wukong used the knife to remove the skin from the tiger. "Too big," he said to himself. So he used the knife to cut the skin into two pieces. He wrapped one piece around his waist, and he put the other piece in the luggage.

"Let's go, Master," he said. "When we get to a house, I can make this into good clothing."

Sanzang was still frightened from seeing Sun Wukong kill the tiger so quickly and easily. "What is that rod?" he asked.

"Master, this is the Golden Hoop Rod. There is nothing else like it in the world. I got it a long time ago, when I was still causing trouble in heaven and earth. I don't cause any more trouble, but this rod is still with me. You just saw that it's very useful!"

The day was getting late. As the sun set, clouds began to fill the sky. Birds sang on a thousand mountains, flying into the forests for the night. The animals began to return to their homes, the moon rose in the sky, and ten thousand stars shone down on Sanzang and his new disciple.

"Master," said Sun Wukong, "it is late. Let's walk quickly. There must be a house in those trees up ahead. Let's stay there tonight."

There was indeed a house in the trees. They arrived at the front door, and Sanzang knocked on the door. An old man opened the door. He took one look at Sun Wukong, a large dirty monkey with a tiger skin wrapped around his waist. "Ghost! Ghost!" he cried, very frightened.

"Don't be afraid, my old friend," said Sanzang. "He is not a ghost. He is my disciple."

The man looked at Sun Wukong again, then he looked at Sanzang and said, "Who are you, and why do you bring this monster to my house?"

"I am just a poor monk from Tang, traveling westward to seek holy scriptures. It is getting late, so we came to your beautiful home and ask to stay the night. We will not cause you any trouble, and we will leave early tomorrow morning."

"Well," said the old man, "you may be a Tang man, but this monster beside you is certainly no sugar man."

"Old man," said Sun Wukong, "have you no eyes in your head? Of course I am no sugar man. I am the disciple of this holy monk. I am also the Great Sage Equal to Heaven. We have met before. Don't you recognize me?"

"No, I don't recognize you," replied the old man.

"Yes you do. When you were young, many times you passed near my home. I lived in a stone box on the

Mountain of Two Frontiers. Do you recognize me now?"

The old man looked carefully at Sun Wukong. "Yes, I know you now. I saw you when I was a child, but you had dirt and grass on your face. And I remember my grandfather told me an old, old story about this mountain falling from the sky. He said there was a magical monkey inside it, in a stone box. But that was centuries ago. I don't understand how you can still be alive now. But it doesn't matter. Let's eat!"

The old man's family prepared a delicious vegetarian meal. After they finished eating, Sun Wukong said, "Old man, I have not had a bath for five hundred years. Please heat up some water so my master and I can wash ourselves." Then master and disciple had hot baths, and then Sun Wukong borrowed a needle and made the tiger skin into clothing that he could wear comfortably. Then the old man led them to their beds.

The next morning after breakfast, Sanzang and Sun Wukong left the old man's house and walked westward. The weather was cold, and the clouds in the sky looked like snow.

As they were walking down the road, six men suddenly jumped in front of them. All the men were holding long knives. "Stop, monk!" one of them cried. "Give us your horse and your baggage, and we will let you go. If you fight us, you will die."

Sanzang was so frightened that he fell to the ground. But Sun Wukong just laughed and said to him, "Master, don't worry. These six gentlemen are here to give us some clothing and some money for our journey."

"Didn't you hear them? They want to kill us!" cried Sanzang.

"Don't worry, Master. Let Old Monkey take care of this." Turning to the six men, he said, "Gentlemen, I am sorry to say that I do not recognize you. Please tell me your names."

"You don't know us, you stupid monkey? We are famous!" said one of the men. "I am Eye That Sees Happiness. Over there are Ear that Hears Anger, and Nose that Smells Love, and Tongue that Tastes Thought, the Mind that Knows Desire, and the Body that Hurts and Suffers."

Sanzang understood immediately that these were not ordinary men, but they were really the six different senses of the body that made it difficult for men to become enlightened. He told this to Sun Wukong.

Sun Wukong just said, "Master, I just see six ugly bandits." Then he said to the bandits, "Show me what you have taken from others, so that we can take what we need. If you do that, you will live to see tomorrow."

Each of the six men heard Sun Wukong's words, but each one reacted differently. They were happy, angry, loving, thoughtful, desiring, and sad. But they all attacked Sun Wukong with their knives and tried to kill him. They hit him seventy or eighty times on the head with their knives. Sun Wukong just stood there and did nothing.

"This monkey has a head like a stone!" said one of the bandits.

"My friends," replied Sun Wukong. "you all must be getting tired. Time for me to take out my needle for some exercise!"

"What, are you an acupuncturist?" asked one of the bandits. Sun Wukong took a needle out of his ear, and it quickly grew into a large rod. "Now let me try this rod on you!" he shouted. The six bandits saw the rod and tried to run away, but Sun Wukong ran after them and killed them all. Then he looked at Sanzang, smiled, and said, "OK my master, we can go now. The bandits are all dead."

Sanzang was very upset. "Why did you do that?" he asked. "Those men were bandits, but you did not have to kill them. You should have just made them go away. How can you be a Buddhist monk if you kill others so easily? A monk is careful not to hurt any creature!"

"Master," said Sun Wukong, "if I hadn't killed them, they would have killed you."

"I am a monk. I would rather die than kill another person. If I died, only one person dies. But you have made six people die. That is much worse."

"When I was the Monkey King on Flower Fruit Mountain, I don't know how many people I killed. That is how I became Great Sage Equal to Heaven."

"And that is why you had to stay under the mountain for five hundred years! You caused great trouble in heaven and earth. But now that you are a monk, you cannot do these things anymore!"

Sun Wukong's heart became filled with fire, and he shouted, "So, you think I can't be a monk? Then I will leave and never come back." And he jumped into the air and flew to the East.

Sanzang could do nothing about this, so he sadly started walking westward, alone, with just his horse. He walked for just a few miles when he saw an old woman standing in the road. She was holding a silk shirt and an embroidered cap.

"Where do you come from?" asked the woman.

Sanzang bowed and said, "Your child was sent by the Tang Emperor to journey to the West, to find the teachings of Buddha and bring them back to the East."

"The Buddha in the West lives in the Great Thunderclap Temple in India. It is a hundred and eight thousand miles away. How can you hope to get there all by yourself?"

Sanzang said unhappily, "Ah, I had a disciple to help me,

but he was a troublemaker. He is gone now."

"I can help you with that. Please take this silk shirt and cap. And let me teach you a magic spell, called the Words to Calm the Mind. Remember every word of this spell, and don't tell it to anyone. When you see your disciple again, give him the shirt and cap. If he gives you trouble, just speak the spell silently to yourself. Your disciple will certainly obey you!"

After saying this, the old woman rose into the air, and flew away towards the East. Sanzang realized that the woman was Guanyin, helping him again. He picked up a little bit of dirt and tossed it towards the East, then he bowed and spoke some words of thanks. He walked westward. As he walked, he practiced the Words to Calm the Mind.

What about Sun Wukong? He had used the cloud somersault to fly far away and visit an old friend, the Dragon King of the Eastern Ocean. The Dragon King came out of his palace to welcome Sun Wukong. He said, "Hello, my old friend. I am glad to see you are not under the mountain anymore! Have you returned to your cave on Flower Fruit Mountain to become Monkey King again? Or are you again causing trouble in heaven?"

"I wanted to return home," replied Sun Wukong, "but I met Guanyin, the great Buddhist teacher. She convinced me to become a Buddhist, and to help a Tang monk find some holy books."

"Good! But why are you here in the East, instead of journeying to the West?"

Sun Wukong laughed and said, "Ah, that Tang monk knows nothing of this world! We met a few bandits on the road, they gave us a little bit of trouble, so of course I killed them all. You would think the monk would be happy. But no, he scolded me and told me I made a mistake. Old Monkey would not stay and listen to that, so I left him there. I was going back home to Flower Fruit Mountain, but I decided to visit you and have some tea."

The Dragon King said nothing, and the two of them sat quietly drinking their tea. After a while, the Dragon King said, "There once was a holy man named Huang, and a young man named Zhang. One day the two of them were sitting on a bridge. One of Huang's shoes fell into the river below. Zhang immediately went and picked up the shoe out of the river and gave it to Huang. Huang said nothing, but again dropped his shoe into the river. Again Zhang brought it back and gave it to Huang. A third time, Huang dropped his shoe into the river. And a third time, Zhang gave it back to him. All this time, Zhang was not angry. He just did it. So Huang made Zhang his student, and a few years later Zhang became enlightened."

The Dragon King continued, "My friend, if you do not go back to help the Tang monk and obey his instructions, you will just be a fake immortal and you will never become enlightened. Don't allow temporary comfort to rule your actions!"

Sun Wukong sat silently for a long time. Then he jumped up and said, "Not another word! I will return to the Tang monk!" And he used the cloud somersault to return to Sanzang.

He found the monk sitting on the side of the road. He said, "Master, why are you just sitting there?"

Sanzang said, "You left me here all alone. It's easy for you to go thousands of miles in a moment, but I am just a poor monk. I can only walk. I was afraid to go forward or backward, so I just stayed here waiting for you."

Sun Wukong did not reply to this, but he said, "Master, are you hungry?"

"Yes, I have some fruit in the luggage."

Sun Wukong opened the luggage to get the fruit. He saw the beautiful silk shirt and embroidered cap in the bag. "Did you bring these from the East?" he asked.

"Oh, those old things. Yes, I wore them when I was young. You can wear them if you like."

When Sanzang saw the shirt and hat on Sun Wukong, he spoke the magic spell. Sun Wukong grabbed his head with his hands and cried, "Oh, it hurts. It hurts!" He fell to the ground, holding his head. "Master, did you put a magic spell on me?"

"Now will you obey me?" asked Sanzang.

"Yes, I will!" replied Sun Wukong, but in his heart he was not willing. As soon as Sanzang stopped saying the spell, Sun Wukong took the tiny Golden Hoop Rod out of his ear, made it into a large weapon, and swung it at Sanzang's head. Sanzang quickly moved away and said the spell three more times. Sun Wukong dropped the rod and again fell to the ground, holding his head.

"You bad monkey!" shouted Sanzang. "While you were gone and I was all alone, Guanyin came. She wanted you to be my disciple and help me journey to the West, but she knew that you would not listen to me. So she gave me this shirt and the cap, and she taught me this spell. Now will you listen?"

Sun Wukong had no choice. He knelt down and said, "Master, I have no choice. I will obey you and follow you to the West. And I will not think about leaving you again. But you must not think of this spell as a game to play with me!"

"Agreed," said Sanzang. "Now let's get going." He stood up and brushed the dirt off his clothes.

Sun Wukong picked up the baggage, and they headed again on their journey to the West.

GLOSSARY

These are all the Chinese words used in this book. The "New?" column indicates where the word is first used. A blank means that the word is part of HSK3 or is in common usage. A number means that the word is not in HSK3, and it indicates the book in the Journey to the West series where it first appears.

New proper names are footnoted, and all proper names are in the glossary.

Chinese	Pinyin	English	First Used
啊	a	O, ah, what	
愛	ài	love	
安靜	ānjìng	quietly	
吧	ba	(particle indicating assumption or suggestion)	
把	bǎ	(preposition introducing object of a verb)	1
把	bǎ	(measure word)	6
把	bǎ	to put	
爸爸	bàba	father	
白	bái	white	
百	bǎi	one hundred	
半	bàn	half	2
辦法	bànfǎ	method	
棒	bàng	rod	2
幫，幫助	bāng, bāngzhù	to help	
抱	bāo	to wrap, to hold	3
包	bāo	package	

報仇	bàochóu	revenge	4
保護	bǎohù	to protect	4
寶座	bǎozuò	throne	2
八十	bāshí	eighty	
被	bèi	(passive particle)	
杯, 杯子	bēi, bēizi	cup	
笨	bèn	stupid	1
本, 本來	běn, běnlái	originally	
閉	bǐ	close	1
鼻聞愛	Bí Wén Ài	Nose That Smells Love (a name)	6
比	bǐ	than	
變	biàn	to change	1
邊	biān	side	1
變成	biàn chéng	to become	3
邊界	biānjiè	boundary	6
別	bié	do not	
別人	biérén	others	
冰	bīng	ice	
陛下	bìxià	Your Majesty	5
必須	bìxū	have to	
伯欽	Bóqīn	Boqin (a name)	6
不會	bù huì	will not	
不一樣	bù yīyàng	different	
不早	bù zǎo	not early	
不	bù	not	
不久	bùjiǔ	soon	
不能	bùnéng	can not	
不是	bùshì	is not	
不同	bùtóng	different	3
不要	bùyào	don't' want	

不用	bùyòng	no need to	
才	cái	only	2
菜	cài	dish	
才能	cáinéng	ability, talent	4
參加	cānjiā	participate	
蠶絲	cánsī	silk	6
草	cǎo	grass	
茶	chá	tea	
叉	chā	fork	6
場	chǎng	(measure word)	2
長	cháng	long	
長安	Cháng'ān	Chang'an	1
常常	chángcháng	often	
唱歌	chànggē	singing	
長生不老	chángshēng bùlǎo	immortality	1
城	chéng	city	
成, 成為	chéng, chéngwéi	to become	3
丞相	chéngxiàng	prime minister	4
吃	chī	To eat	
吃掉	chīdiào	to eat up	
醜	chǒu	ugly	1
出	chū	out	
穿	chuān	to wear	
幢	chuáng	(measure word)	2
廚房	chúfáng	kitchen	6
吹	chuī	to blow	1
出來	chūlái	to come out	1
出生	chūshēng	born	1
出現	chūxiàn	to appear	

次	cì	(measure word)	
從	cóng	from	
聰明	cōngmíng	clever	
從頭到腳	cóngtóudàojiǎo	from head to foot	
粗	cū	broad, thick	2
村	cūn	village	6
錯	cuò	wrong	
大	dà	big	
打	dǎ	to hit	1
韃靼	Dá Dá	Tartars	6
大雷音	Dà Léi Yīn	Great Thunderclap Temple	6
大聖	dà shèng	great saint	3
大臣	dàchén	minister, court official	2
大帝	dàdì	emperor	1
大會	dàhuì	general assembly	
帶	dài	band	
打開	dǎkāi	open up	1
但, 但是	dàn, dànshì	but, however	
當	dāng	when	1
當然	dāngrán	of course	
擔心	dānxīn	worry	
刀	dāo	knife	1
倒	dào	to fall down	4
到	dào	to	
大師	dàshī	grandmaster	3
的	de	of	
地	de	ground	
得	dé	got it	
等	děng	wait	
帝	dì	emperor	1
第	dì	(prefix before a number)	

點	diǎn	point	
掉	diào	to fall, to drop	3
弟弟	dìdi	younger brother	
地方	dìfāng	place	
頂	dǐng	top	1
定心真語	Dìng Zīn Zhēn Yǔ	Words to Calm the Mind (a spell)	6
地球	dìqiú	earth	6
地上	dìshàng	on the ground	2
地獄	dìyù	Underworld	1
動	dòng	to move	2
洞	dòng	cave	3
東	dōng	east	1
動物	dòngwù	animal	
東西	dōngxi	thing	
都	dōu	all	
讀, 讀道	dú, dú dào	to read	
段	duàn	(measure word)	1
鍛煉	duànliàn	to exercise	
對	duì	correct, towards someone	
對不起	duìbùqǐ	I am sorry	
多	duō	many	
多久	duōjiǔ	how long	
多少	duōshǎo	how many	
餓	è	hungry	
耳聽怒	ěr tīng nù	Ear Hearing Anger (a name)	6
二	èr	two	
耳朵	ěrduǒ	ear	
而且	érqiě	and	4
兒子	érzi	son	
發	fā	hair	

飯	fàn	rice	
放	fàng	to put	
房間	fángjiān	room	
方向	fāngxiàng	direction	3
房子	fángzi	house	2
飯碗	fànwǎn	rice bowl	2
飛	fēi	to fly	2
非常	fēicháng	very much	
分	fēn	minute	
份	fèn	(measure word)	4
風	fēng	wind	1
佛	fó, fú	buddha (title)	3
佛法	fófǎ	dharma	4
佛祖	fózǔ	Buddha's teachings	4
附近	fùjìn	nearby	
感, 感到	gǎn, gǎndào	to feel	1
鋼	gāng	steel	3
剛才	gāngcái	just now	
乾淨	gānjìng	clean	
感覺	gǎnjué	to feel	5
感謝	gǎnxiè	to thank	4
告訴	gàosù	to tell	
高興	gāoxìng	happy	
個	gè	(measure word)	1
哥哥	gēgē	older brother	
給	gěi	to give	
根	gēn	root, (measure word)	1
跟	gēn	to follow	
更	gèng	more	
鞏州	Gǒngzhōu	Gongzhou (a city)	6
宮, 宮殿	gong, gōngdiàn	palace	1

弓箭	gōngjiàn	bow and arrow	6
工作	gōngzuò	work, job	
箍	gū	ring or hoop	2
拐杖	guǎizhàng	staff or crutch	6
關	guān	to turn off	
光	guāng	beam of light	1
觀音	Guānyīn	Guanyin (a name)	3
關於	guānyú	about	
跪	guì	kneel	5
貴	guì	expensive	
鬼, 鬼怪	guǐ, guǐguài	ghost	5
過	guò	too, to cross	
國, 國家	guó, guó jiā	country	
過去	guòqù	past	
鍋子	guōzi	pot	6
故事	gùshì	story	
還有	hái yǒu	also have	3
還	hái	also	
害怕	hàipà	fear	
還是	háishì	still is	
孩子	háizi	child	
喊	hǎn	to shout	1
好吧	hǎo ba	ok	
好吃	hào chī	tasty	
好	hǎo	good	
好看	hǎokàn	good looking	5
河	hé	river	1
和	hé	with	5
鶴	hè	crane	3
河流	Hé Liú	River Flow (a name)	1
河州	Hézhōu	Hezhou (a city)	6

喝	hē	to drink	
黑	hēi	black	
很	hěn	very	
很多	hěnduō	much	1
很久	hěnjiǔ	long time	2
和尚	héshàng	monk	3
紅	hóng	red	
後	hòu	rear	1
猴王	hóu wáng	Monkey King	1
猴, 猴子	hóu, hóuzi	monkey	1
後來	hòulái	later	2
後面	hòumiàn	behind	
話	huà	words	1
花	huā	flower	
花果山	Huāguǒ Shān	Flower Fruit Mountain	1
壞	huài	bad	
黃	huáng	yellow	3
黃	Huáng	Huang (a name)	6
皇帝	huángdì	emperor	3
歡迎	huānyíng	welcome	
花園	huāyuán	garden	3
回	huí	back	
揮	huī	to swat	6
回家	huí jiā	to return home	3
會	huì	to meet	
迴答	huídá	to reply	
回來	huílái	to come back	1
回去	huíqù	to go back	4
活	huó	to live	1
火	huǒ	fire	3
活著	huó zhe	alive	3

記住	jì zhù	to remember	4
極	jí	very	
幾	jǐ	few	
雞	jī	chicken	
加	jiā	plus	5
家	jiā	family	
家裡	jiālǐ	home	
見	jiàn	to see, to meet	1
件	jiàn	(measure word)	1
講	jiǎng	to speak	
叫	jiào	to call, to yell	4
教	jiào	to teach	
腳	jiǎo	foot	
記得	jìdé	to remember	
接	jiē	to meet	
借	jiè	to borrow	
街道	jiēdào	street	
介紹	jièshào	Introduction	
結束	jiéshù	end, finish	
進	jìn	to enter	
緊	jǐn	tight	3
金箍棒	Jīn Gū Bàng	Golden Hoop Rod	3
金, 金子	jīn, jīnzi	gold	2
金蟬	Jīnchán	Golden Cicada (a name)	4
筋斗雲	jīndǒu yún	cloud somersault	1
精	jīng	spirit	6
經過	jīngguò	after	
進來	jìnlái	come in	2
金山	Jīnshān	Golden Mountain	4
今天	jīntiān	today	1
金字	jīnzì	gold	3

舊	jiù	old	
酒	jiǔ	wine, liquor	1
就	jiù	just	
九	jiǔ	nine	
久	jiǔ	long	
繼續	jìxù	to continue	4
覺得	juédé	to think	
決定	juédìng	to decide	
覺悟	juéwù	enlightenment	6
鞠躬	jūgōng	to bow down	1
軍隊	jūnduì	army	3
舉行	jǔxíng	to hold	4
開始	kāishǐ	to start	
砍	kǎn	to cut	1
看不到	kàn bù dào	look but can't see	
看	kàn	to look	
看見	kànjiàn	to see	
看起來	kànqǐlái	looks like	1
渴	kě	thirsty	
顆	kē	(measure word)	6
可能	kěnéng	maybe	
可怕	kěpà	terrible	1
客人	kèrén	guests	3
可以	kěyǐ	can	
口	kǒu	mouth	
哭	kū	cry	
塊	kuài	(measure word)	1
快	kuài	fast	
寬	kuān	width	5
捆	kǔn	to tie up	3
拉	lā	to pull down	5

來	lái	to come	
老	lǎo	old	
老虎	lǎohǔ	tiger	3
了	le	(indicates completion)	
雷電	léi diàn	lightning	1
雷聲	léi shēng	thunder	2
累	lèi	tired	
冷	lěng	cold	
離	lí	from	
裡	lǐ	(measure word)	6
裡	lǐ	in	
臉	liǎn	face	1
兩界山	Liǎng Jiè Shān	Mountain of Two Frontiers	6
兩	liǎng	two	
練習	liànxí	to exercise	
離開	líkāi	to go away	
裡面	lǐmiàn	inside	1
另	lìng	another	2
靈魂	línghún	soul	4
留	liú	to stay	5
六	liù	six	
留下	liúxià	to keep, to leave behind, to remain	
龍王	lóngwáng	dragon king	2
鹿	lù	deer	6
路	lù	road	
路上	lùshàng	on the road	2
旅途	lǚtú	journey	6
嗎	ma	(indicates a question)	
罵	mà	to scold	1
馬	mǎ	horse	

麻煩	máfan	trouble	1
賣	mài	to sell	
買	mǎi	to buy	
媽媽	māma	mother	
慢	màn	slow	
貓	māo	cat	
帽, 帽子	mào, màozi	hat	
馬上	mǎshàng	immediately	
美	měi	handsome, beautiful	1
沒	méi	not	
每	měi	every	
沒關係	méiguānxì	it's ok	2
美麗	měilì	beautiful	1
沒有	méiyǒu	don't have	
們	men	(plural)	
門前	mén qián	in front of door	
門	mén	door	
夢	mèng	dream	2
面	miàn	side	1
面對面	miànduìmiàn	face to face	3
面前	miànqián	before	2
廟	miào	temple	3
米飯	mǐfàn	cooked rice	4
明	míng	bright	6
名, 名字	míng, míngzì	name	
明白	míngbai	to understand	
明天	míngtiān	tomorrow	
魔, 魔法	mó, mófǎ	magic	3
那	nà	that	
拿	ná	take	
哪裡	nǎlǐ	where	

那裡	nàlǐ	there	
難	nán	difficult	
那樣	nàyàng	that way	1
呢	ne	it	
能	néng	can	
你好	nǐ hǎo	hello	
你	nǐ	you	
年	nián	year	
念	niàn	read	6
念佛	niànfó	to practice Buddhism	
年輕	niánqīng	young	
鳥	niǎo	bird	
你們	nǐmen	you (plural)	
您	nín	you (respectful)	
牛	niú	cow	6
怒	nù	angry	6
女	nǚ	female	5
女兒	nǚ'ér	daughter	
怕	pà	afraid	1
爬	pá	climb	
拍	pāi	to smack	1
牌子	páizi	sign	2
旁邊	pángbiān	next to	
盤子	pánzi	plate	
跑	pǎo	to run	
朋友	péngyǒu	friend	
匹	pǐ	(measure word)	5
皮	pí	leather	
漂	piāo	to drift	4
漂亮	piàoliang	beautiful	
僕人	púrén	servant	4

普通	pǔtōng	ordinary	5
氣	qì	gas, air, breath	6
齊天大聖	Qí Tiān Dà Shèng	Great Sage Equal to Heaven	2
騎	qí	to ride	
起	qǐ	from, up	1
七	qī	seven	
前	qián	before	2
千	qiān	thousand	1
錢	qián	money	
強大	qiángdà	powerful	2
強盜	qiángdào	bandit	4
前面	qiánmiàn	front	
橋	qiáo	bridge	1
起床	qǐchuáng	to get up	
親愛的	qīn'ài de	dear	1
輕	qīng	lightly	4
請	qǐng	please	
情況	qíngkuàng	situation	3
其他	qítā	other	
球	qiú	ball	3
秋	qiū	autumn	
妻子	qīzi	wife	
去	qù	to go	
群	qún	group or cluster	3
讓	ràng	to let	
然後	ránhòu	then	
熱	rè	hot	
人	rén	people	
認出	rèn chū	recognize	6
扔	rēng	to throw	3

人間	rénjiān	human world	2
人們	rénmen	people	3
認識, 認得	rènshi, rèndé	to know someone	
認為	rènwéi	to think	
認真	rènzhēn	serious	
容易	róngyì	easy	
榮譽	róngyù	honor	4
肉	ròu	meat	
入	rù	into	4
如果	rúguǒ	in case	
三	sān	three	
三藏	Sānzàng	Sanzang (a name)	4
色	sè	color	
僧, 僧人	sēng, sēngrén	monk	6
森林	sēnlín	forest	1
殺	shā	to kill	2
山	shān	mountain	1
山頂	shāndǐng	mountain top	1
上	shàng	on	
傷害	shānghài	to hurt	2
上面	shàngmiàn	above	1
上天	shàngtiān	heaven	1
傷心	shāngxīn	sad	1
少	shǎo	less	
燒	shāo	to burn	6
蛇	shé	snake	3
舌嘗思	Shé Cháng Sī	Tongue That Tastes Thought (a name)	6
誰	shéi	who	
深	shēn	deep	4

身本憂	Shēn Běn Yōu	Body That Hurts and Suffers (a name)	6
神, 神仙	shén, shénxiān	spirit, god	4
身邊	shēnbiān	around	5
聖	shèng	sage	2
生活	shēnghuó	life, to live	1
生命	shēngmìng	life	2
生氣	shēngqì	angry	
聖人	shèngrén	saint, holy sage	1
聖僧	shèngsēng	senior monk	
生物	shēngwù	living beings	2
聲音	shēngyīn	sound	
繩子	shéngzi	rope	3
什麼	shénme	what?	
神奇	shénqí	magical	1
身上	shēnshang	on body	1
身體	shēntǐ	body	
十八	shí bā	eighteen	
是的	shì de	yes, it is	2
試試	shì shì	to try	
十萬八千	shí wàn bāqiān	eighteen thousand	
石箱	shí xiāng	stone box	6
是	shì	yes, is	
事, 事情	shì, shìqíng	thing	
石, 石頭	shí, shítou	stone	1
食, 食物	shí, shíwù	food	6
師父	shīfu	master	6
時候	shíhòu	time	
時間	shíjiān	time	
世界	shìjiè	world	
手	shǒu	hand	

樹	shù	tree	
書	shū	book	
雙	shuāng	a pair	4
霜	shuāng	frost	6
舒服	shūfu	comfortable	
水	shuǐ	water	
水果	shuǐguǒ	fruit	
睡覺	shuìjiào	go to bed	
水陸大會	Shuǐlù Dàhuì	Great Mass of Land and Water	5
樹林	shùlín	forest	1
說	shuō	to say	
說話	shuōhuà	to speak	1
死	sǐ	dead	1
絲	sī	silk thread	6
思	sī	to think	6
四周	sì zhōu	around	3
四	sì	four	
死去	sǐqù	die	3
送	sòng	to give a gift	
素	sù	vegetable	6
雖然	suīrán	though	
孫悟空	Sūn Wùkōng	Sun Wukong (a name)	1
所以	suǒyǐ	and so	
所有	suǒyǒu	and so	1
他	tā	he, him	
它	tā	it	
她	tā	she, her	
抬	tái	to lift	5
太	tài	too	
太白金星	Tàibái Jīnxīng	Bright Star of Venus (name)	2

太陽	tàiyáng	sunlight	
太宗	Tàizōng	Taizong (a name)	4
它們	tāmen	they (male)	3
他們	tāmen	they (female)	3
談	tán	to talk	5
糖	táng	sugar	
唐	Táng	Tang Empire	6
湯	tāng	soup	
逃跑	táopǎo	to escape	6
特別	tèbié	special	
天	tiān	day, sky	1
天宫	tiāngōng	palace of heaven	3
天氣	tiānqì	weather	
天上	tiānshàng	heaven	2
條	tiáo	(measure word)	1
跳	tiào	to jump	
鐵	tiě	iron	3
聽說	tīng shuō	it is said that	2
聽	tīng	to listen	
銅	tóng	copper	3
痛	tòng	pain	4
痛苦	tòngkǔ	suffering	2
同意	tóngyì	to agree	
頭	tóu	head	1
頭髮	tóufǎ	hair	1
土	tǔ	dirt	6
徒弟	túdì	apprentice	6
土地	tǔdì	land	3
突然	tūrán	suddenly	
外公	wàigōng	maternal grandfather	6
外面	wàimiàn	outside	1

完	wán	to finish	
玩	wán	to play	
萬	wàn	million	
晚	wǎn	late	
碗	wǎn	bowl	
完成	wánchéng	to complete	
晚飯	wǎnfàn	dinner	4
王	wáng	king	1
往	wǎng	to	
晚上	wǎnshàng	at night	
為	wèi	for	
位	wèi	(measure word)	1
為了	wèile	in order to	
為什麼	wèishéme	why	
危險	wéixiǎn	danger	1
問	wèn	to ask	
文書	wénshū	written document	6
問題	wèntí	question	
我	wǒ	I, me	
我們	wǒmen	we, us	
五十	wǔ shí	fifty	
五指山	Wǔ Zhǐ Shān	Five Finger Mountain	3
五	wǔ	five	
武器	wǔqì	weapon	2
無用	wúyòng	inability	5
洗	xǐ	to wash	
西	xī	west	
下	xià	below, fall	
下來	xiàlái	down	1
下面	xiàmiàn	below	2
先	xiān	first	1

想	xiǎng	to want, to miss, to think of	
向	xiàng	to	
像	xiàng	like	
箱	xiāng	box	6
鄉村	xiāngcūn	rural	6
仙女	xiānnǚ	fairy, female immortal	3
先生	xiānshēng	mister	
現在	xiànzài	just now	
小的時候	xiǎo de shíhòu	when was young	4
小名	xiǎo míng	nickname	6
笑	xiào	to laugh	
小	xiǎo	small	
小時	xiǎoshí	hour	
小心	xiǎoxīn	to be careful	
下午	xiàwǔ	in the afternoon	
些	xiē	some	
寫	xiě	write	
鞋，鞋子	xié, xiézi	shoe	4
謝謝	xièxiè	thank you	
喜歡	xǐhuān	like	
心	xīn	heart	4
心知欲	Xīn Zhī Yù	Mind That Knows Desire (a name)	6
新	xīn	new	
行	xíng	to travel	6
星	xīng	star	6
行李	xínglǐ	baggage	
性子	xìngzi	temper	1
心願	xīnyuàn	wish	6
熊	xióng	bear	6
兄弟	xiōngdì	brothers	1

繡	xiù	embroidered	4
休息	xiūxi	rest	
希望	xīwàng	hope	
洗澡	xǐzǎo	to bathe	
選	xuǎn	selected	
玄奘	Xuanzang	Xuanzang (a name)	5
許多	xǔduō	a lot of	1
血	xuè	blood	4
雪	xuě	snow	5
學生	xuéshēng	student	
學習	xuéxí	to learn	
需要	xūyào	to need	
牙	yá	tooth	6
眼看喜	Yǎn Kàn Xǐ	Eye that Sees Happiness (a name)	6
眼睛	yǎnjīng	eye	1
閻羅王	Yánluó Wáng	Yama, King of the Underworld	1
要	yào	to want	
腰	yāo	waist	6
要飯	yàofàn	to beg	4
妖怪	yāoguài	monster	1
夜	yè	night	3
葉	yè	leaf	6
也	yě	and also	
爺爺	yéyé	paternal grandfather	
一	yī	one	
衣, 衣服	yī, yīfu	clothes	
一邊	yībiān	on the side	
一點	yīdiǎn	a little bit	
一定	yīdìng	for sure	

以後	yǐhòu	after	3
一會兒	yīhuǐ'er	a while	
已經	yǐjīng	already	
印度	Yìndù	India	6
贏	yíng	to win	1
應該	yīnggāi	should	
隱士	yǐnshì	hermit	6
因為	yīnwèi	because	
一起	yīqǐ	together	
以前	yǐqián	before	
意思	yìsi	meaning	
一下	yīxià	a bit	
一些	yīxiē	some	1
一樣	yīyàng	same	
一直	yīzhí	always	
用	yòng	use	
遊	yóu	to swim, to tour	4
油	yóu	oil	6
又	yòu	also	
有	yǒu	to have	
憂	yōu	worry	6
有一天	yǒu yītiān	one day	1
右	yòu	right	
有名	yǒumíng	famous	
遊戲	yóuxì	game	
有用	yǒuyòng	useful	
語	yǔ	language	
遇	yù	case	
遠	yuǎn	far	
原諒	yuánliàng	to forgive	2
願意	yuànyì	willing	

遇到	yùdào	to meet	
越	yuè	more	
月, 月亮	yuè, yuèliang	moon	
雲	yún	cloud	1
在	zài	in	
再	zài	again	
再見	zàijiàn	goodbye	
早	zǎo	early	4
早飯	zǎofàn	breakfast	
早上	zǎoshang	morning	
怎麼樣	zěnme yàng	how about it?	5
怎麼	zěnme	how	
站	zhàn	to stand	2
張	Zhāng	Zhang (a name)	6
長	zhǎng	long, to grow	
丈夫	zhàngfu	husband	
站住	zhànzhù	stop	6
照	zhào	according to	6
找不到	zhǎo bù dào	search but can't find	4
找	zhǎo	search	
照顧	zhàogù	to care for	
這	zhè	this	
這是	zhè shì	this is	4
這樣	zhè yàng	such	3
著	zhe	with	
這個	zhège	this one	4
這裡	zhèlǐ	here	1
這麼	zhème	so	2
針	zhēn	needle	6
真	zhēn	true	
真的	zhēn de	really!	1

陣	zhèn	(measure word)	6
正，正在	zhèng, zhèngzài	(-ing)	
針灸師	zhēnjiǔ shī	acupuncturist	6
這些	zhèxiē	these	1
紙	zhǐ	paper	2
指	zhǐ	to point	6
枝	zhī	branch	6
衹能	zhǐ néng	can only	4
直	zhí	straight	
隻	zhǐ	only	
知道	zhīdào	know	
智慧	zhìhuì	wisdom	1
衹是	zhǐshì	just	2
衹要	zhǐyào	as long as	5
中	zhōng	in	1
種	zhǒng	species	
中國	zhōngguó	China	
中間	zhōngjiān	middle	
主	zhǔ	lord	6
住	zhù	live	
抓, 抓住	zhuā, zhuā zhù	to arrest, to grab	3
轉輪藏	Zhuǎn Lúncáng	Wheel of Rebirth	5
狀元	zhuàngyuán	champion, 1st place winner	4
轉身	zhuǎnshēn	turned around	3
準備	zhǔnbèi	ready	
主意	zhǔyì	idea	2
字牌	zì pái	a sign with words	6
字	zì	word	
自己	zìjǐ	myself	
走開	zǒu kāi	go away	6

走	zǒu	go	
走路	zǒulù	to walk down a road	1
最	zuì	most	
嘴	zuǐ	mouth	
最後	zuìhòu	at last	
最近	zuìjìn	recently	
做	zuò	do	
座	zuò	(measure word)	1
坐	zuò	to sit	
左	zuǒ	left	
昨天	zuótiān	yesterday	
祖師	zǔshī	founder, great teacher	1

ABOUT THE AUTHORS

Jeff Pepper has worked for thirty years in the computer software business, where he has started and led several successful tech companies, authored two software related books, and was awarded three U.S. software patents. In 2017 he started Imagin8 Press (www.imagin8press.com) to serve English-speaking students of Chinese.

Xiao Hui Wang is a native Chinese speaker born in China. She came to the United States for studies in biomedical neuroscience and medical imaging and has more than 25 years of experience in academic and clinical research. She has been teaching Chinese for more than 10 years, with extensive experience in translation English to Chinese as well as Chinese to English.

Made in the USA
Monee, IL
25 November 2020